D0583197

Von Mary Scott liegen als Goldmann-Taschenbücher außerdem vor:

Das waren schöne Zeiten. Mary Scott erzählt aus ihrem Leben (2782)
Es ist ja so einfach. Heiterer Roman (1904)
Es tut sich was im Paradies. Heiterer Roman (730)
Flitterwochen. Heiterer Roman (3482)
Fremde Gäste. Heiterer Roman (3866)
Fröhliche Ferien am Meer. Heiterer Roman (3361)
Frühstück um sechs. Heiterer Roman (1310)
Geliebtes Landleben. Heiterer Roman (3705)
Das Jahr auf dem Lande. Heiterer Roman (3882)
Ja, Liebling. Heiterer Roman (2740)
Kopf hoch, Freddie! Heiterer Roman (3390)
Macht nichts, Darling. Heiterer Roman (2589)
Mittagessen Nebensache. Heiterer Roman (1636)
Na endlich, Liebling. Heiterer Roman (3913)
Oh, diese Verwandtschaft! Heiterer Roman (3663)
Onkel ist der Beste. Heiterer Roman (3373)
Das Teehaus im Grünen. Heiterer Roman (3758)
Tee und Toast. Heiterer Roman (1718)
Truthahn um Zwölf. Heiterer Roman (2452)
Übernachtung – Frühstück ausgeschlossen. Heiterer Roman (6316)
Und abends etwas Liebe. Heiterer Roman (2377)
Verlieb dich nie in einen Tierarzt. Heiterer Roman (3516)
Wann heiraten wir, Freddie? Heiterer Roman (2421)
Zärtliche Wildnis. Heiterer Roman (3677)
Zum Weißen Elefanten. Heiterer Roman (2381)

Von Mary Scott und Joyce West sind als Goldmann-Taschenbücher erschienen:

Das Geheimnis der Mangroven-Bucht. Roman (3354)
Lauter reizende Menschen. Roman (1465)
Das Rätsel der Hibiskus-Brosche. Roman (3492)
Tod auf der Koppel. Roman (3419)
Der Tote im Kofferraum. Roman (3369)

Mary Scott

Hilfe, ich bin berühmt!

Heiterer Roman

GOLDMANN VERLAG

Aus dem Englischen von Helga Krauss
Titel der Originalausgabe: Haven't We Met Before?

Made in Germany · 6. Auflage · 4/86

Umschlagentwurf: Atelier Adolf & Angelika Bachmann, München,
unter Verwendung einer kolorierten Zeichnung von Ulrik Schramm, Feldafing
Satz: Presse-Druck, Augsburg
Druck: Elsnerdruck, Berlin
Verlagsnummer: 3455
MV · Herstellung: Harry Heiß/Voi
ISBN 3-442-03455-8

1

»Nein, es tut mir leid, aber ich möchte nicht interviewt werden.« Tessa protestierte heftig.

Von der anderen Seite der Leitung kam ein aufgeregtes Geplapper, und sie hielt den Hörer weiter vom Ohr weg. Die Worte: eine Neuheit in der Welt der Kunst und ein Meisterwerk, klangen schrill.

Tessa wurde ganz heiß, doch ihre Stimme blieb fest. »Aber ich habe nichts zu sagen. Überhaupt nichts. Also . . .«

»Nichts zu sagen? Oh, Miss Nelson, können Sie uns nicht sagen, warum Sie Ihren ganzen Stil so plötzlich geändert haben? Alle wollen es wissen.«

Tessa murmelte so etwas wie es gebe keinen bestimmten Grund und fügte hinzu, daß sie Interviews hasse. »Wenn der Sprecher sie also entschuldigen würde? Ein Kochtopf koche über . . .«

Wie gerne hätte sie gesagt: Aber ich habe meinen Stil nicht geändert. Es war alles nur ein Scherz, ein dummer Scherz. Ich habe nie im Traum daran gedacht, daß ihn jemand ernst nehmen würde. Aber wie konnte sie das sagen? Schrecklich, die ganze Welt lächerlich zu machen, die Gefühle dieser absolut fehlgeleiteten Menschen zu verletzen, die ihr gräßliches Bild »Träume« gelobt hatten.

Sie setzte sich erschöpft in den nächsten Sessel, zündete sich noch eine Zigarette an und sagte laut zu sich selbst: Es ist gräßlich. Warum war ich so verrückt? Aber sie waren auch verrückt, es ernst zu nehmen. Und jetzt kann ich es nicht mehr ungeschehen machen . . . Das Schlimmste ist, was soll ich mit dem verdammten Geld tun?

Sie rauchte ihre Zigarette zu Ende und stand schließlich auf, etwas beruhigt und entschlossen. Ich werde weggehen. Irgendwohin, weg von allem. Dann bemerkte sie den Brief ihres Bruders, den sie ungeöffnet liegengelassen hatte, als das Telefon an diesem Morgen zum neunten Mal klingelte.

Don schrieb: »Tessa, altes Mädchen, was hast Du angestellt? Ich bekam fast einen Anfall, als ich heute morgen die Zeitung aufschlug und Dein lustiges kleines Gesicht sah, das lachte und ganz zufrieden mit sich selbst aussah. Warum zufrieden um Himmels willen? Wenn das daneben wirklich Dein Gemälde ist, so ist es eine schreckliche Kleckserei. Was hat Dich überkommen? Ich vermute, Du hast dich schließlich doch den anderen angepaßt, und das gründlich. Na ja, jetzt kommst Du endlich groß 'raus. Ich bin noch immer etwas verwirrt, denn Du warst sonst gegen diese Dinge. Trotzdem, herzlichen Glückwunsch. Du scheinst zu Geld zu kommen.

Hier gibt es keine guten Neuigkeiten. Meine Stelle werde ich wohl leider verlieren. Es ist nicht meine Schuld. Mr. Grant sagt, daß ich diese Farm sehr gut geführt habe, aber jetzt, nach dem Abtrieb der Schafe und ihrer Schur, muß er die Stadt verlassen und nach Hause zurückkehren, auch wenn seine Frau nicht einverstanden ist. Die Farm trägt kein Gehalt für einen Verwalter. Ich habe die besten Referenzen und alles. Aber die Stellen als Verwalter sind heute sehr selten, und Angestellter zu sein bietet keine Sicherheit mehr. Es ist besser, etwas Eigenes zu haben. So habe ich, als mir die Firma, mit der wir arbeiten, eine heruntergewirtschaftete Farm anbot, die ihr zurückgegeben worden war, gesagt, ich würde darüber nachdenken, und bin dann zu Joan gegangen. Aber dort habe ich mit meinem Plan keinen Anklang gefunden. Nichts zu machen. Für sie ist das Hinterland nichts. Alles meine Schuld. Damals war das ein ziemlicher Schlag, aber ich darf mich nicht beklagen. Joan war nicht das richtige Mädchen für mich.

Du wirst lachen und sagen, daß Du das schon einmal gehört hast, aber beim nächsten Mal werde ich auf Nummer Sicher gehen. Mit dieser Farm fange ich an. Sie ist ziemlich verlassen, liegt im Hinterland, an einem Ort, der wirklich altertümlich ist. Sehr wenige Nachbarn. Die Farm ist seit mehreren Jahren verlassen, aber die Firma hat sie wegen der Hypothek behalten. Sie geben sie ganz billig her, um sie loszuwerden. Für das Vieh habe ich genug gespart, und die Anzahlung ist sehr niedrig. Es ist am besten, wenn man für sich selbst arbeitet, und ich glaube, ich werde es versuchen. Natürlich wird es einsam sein, und wenn Du nicht jetzt das große Glück gemacht hättest, hätte ich Dir vorgeschlagen, für eine Weile mitzukommen und alles zu vergessen.«

Und dann klingelte das Telefon wieder, und eine Stimme trillerte: »Liebling, wie wunderbar. Du hast wirklich Schlagzeilen gemacht. Natürlich ist das Foto gräßlich, aber meinen herzlichsten Glückwunsch. Dieses wunderschöne Bild – und das nach allem, was du über die ultramoderne Kunst gesagt hast!«

Als das vorüber war, beeilte sich Tessa, ein Telegramm abzuschicken. Es ging an ihren Bruder, Don Nelson, und lautete: »Komme mit Dir, auf jeden Fall für sechs Monate.« Als nächstes rief sie einen Bodenmakler an und brachte ihr Haus »zum dringenden Verkauf« auf den Immobilienmarkt. Dann überlegte sie, was sie am Ende dieser sechs Monate tun würde oder wenn Don ein anderes Mädchen fand. Sie zuckte die Achsel. »Warum soll ich mir darüber den Kopf zerbrechen? Vielleicht bin ich in sechs Monaten tot!«

Das erinnerte sie an Edward Hall, und sie lachte. Sie hörte seine Stimme: »Mein liebes Kind, du hast die Mentalität eines Grashüpfers, nur nicht in die Zukunft sehen, sich nie für den nächsten Tag vorbereiten. Das Heute genießen, weil du morgen vielleicht tot bist. Das habe ich schon zu oft von dir gehört.« Dann hatte er ihr immer wieder die gräßliche kleine Geschichte von dem Grashüpfer erzählt, der im Winter verhungerte, weil er die Zukunft nicht hatte vorbereiten wollen.

So etwas hatte er auch in ihrem letzten Streit gesagt, und sie war dadurch in ihrem Entschluß bestärkt worden. »Nein, Edward, es hat keinen Zweck. Wir sind in allem völlig verschiedener Auffassung. Ich würde dich wahnsinnig machen.«

Er hatte eine Weile protestiert, aber schließlich hatten sie sich in diesem Sinne getrennt. Eigentlich waren beide Seiten dafür dankbar, dachte sie. Wie schrecklich wäre es gewesen, wenn sie Edward geheiratet hätte; schrecklich für sie beide. Damals schien es ihm etwas auszumachen, aber sie hatte ihren Kopf durchgesetzt, obwohl sie erst zwanzig war, und ausnahmsweise kümmerte sie sich dieses eine Mal nicht um die Gefühle anderer Menschen. Sofort hatte sie sich erleichtert gefühlt, war von etwas befreit, das sie zu ersticken drohte. Wenn sie heute zurückschaute, war sie sicher, daß auch Edward Erleichterung empfunden hatte. Alles wurde schließlich noch dadurch vereinfacht, daß ihn seine Firma plötzlich als Betriebsleiter nach Malaysia schickte. Tessa hatte die herzlichsten Wünsche auf sein Schiff telegrafiert und dann die ganze Geschichte zu den Akten gelegt.

Das lag jetzt zehn Jahre zurück, und seitdem hatte sie ihr Junggesellendasein genossen. Da sie eine attraktive Frau war – klein, dunkelhaarig, lebhaft, mit großen braunen Augen – und außerdem eine liebenswerte Art und eine geistreiche Zunge besaß, hatte es ihr an Bewunderern nie gefehlt. Aber sie war nie auch nur im geringsten in Versuchung geraten, die Freiheit aufzugeben, die Edward sechs Monate lang bedroht hatte. Jetzt fand sie, daß sie ein glückliches Leben führte; sie hatte ihr kleines Haus, ein Einkommen, das gerade ausreichte, und ihre Malerei, die ihr ein wenig Komfort ermöglichte. Zwar verachteten die ultramodernen Kritiker sie, aber sie hatte eine kleine, jedoch treue Anhängerschaft, und ihre Bilder verkauften sich an die etwas altmodischen Menschen, die noch immer das Schöne in der Kunst liebten. Nicht daß Tessas Stil fotografisch oder kitschig gewesen wäre, aber sie hatte sich gegen das Extreme aufgelehnt und hatte es gesagt, und gerade das machte die gegenwärtige Situation so besonders schwierig.

Denn der Tag war gekommen, an dem Thérèse Nelson (die Kritiker schrieben ihren Namen immer voll aus) rebelliert hatte. Sie hatte ein gräßliches Bild verbrochen, das sie »Träume« nannte, und den hohen Herren als Scherz ins Gesicht geschleudert. Sie hatte nie im Traum daran gedacht, daß man ihre wilde Kleckserei, ihre »Träume«, ihre Parodie auf die extreme abstrakte Kunst ernst nehmen könnte, daß irgend jemand auch nur ein zweites Mal hinsehen würde. Glücklicherweise hatte sie sich nicht einmal die Mühe gemacht, zu der Ausstellung zu gehen. Und dann hatte das Telefon zu klingeln begonnen, und sie hatte zu ihrer Bestürzung herausgefunden, daß »Träume« nicht nur ausgestellt, sondern auch gekauft worden war – für den phantastischen Preis, mit dem sie es als Teil des Scherzes ausgezeichnet hatte – und es wurde als ein Meisterstück bejubelt.

Jetzt wurde ihr ganz klar, daß sie in diesem Augenblick die Wahrheit sagen und das Geld hätte ablehnen müssen. Aber bei Tessa verband sich eine unbekümmerte Art mit dem Widerwillen, die Gefühle anderer Menschen zu verletzen. Sie konnte den Gedanken nicht ertragen, alle lächerlich zu machen.

Seitdem war das Leben schrecklich gewesen. Sie hatte sich über ihren ziemlich gehässigen Scherz geschämt und mit sich selbst geschimpft, weil sie nicht an die möglichen Folgen gedacht hatte. »Du denkst nie«, hatte der Geist von Edward Hall verdrießlich bemerkt. Es war typisch für sie, daß sie ihr Problem von sich schob, sich dem Brief ihres Bruders zuwandte und nun dachte: Ich werde es tun. Jetzt weggehen. Eine Pionierin werden und niemals wieder einen Pinsel anfassen.

Denken und Handeln waren eins, und innerhalb von zehn Minuten hatte sie ihr Haus auf den Immobilienmarkt gebracht und war bereit, ein Leben auszuprobieren, über das sie nichts wußte. Aber es war ein neues Leben. Nur darauf kam es im Augenblick an, und der Augenblick war für Tessa immer ausreichend.

Der einzige Vorbehalt, den sie gemacht hatte, waren die Worte in ihrem Telegramm »auf jeden Fall für sechs Monate«. Außerdem würde sie so wenig wie möglich von ihren Plänen erzählen, falls nichts daraus würde, Don sie vielleicht nicht haben wollte.

Die Antwort darauf kam noch am selben Abend als Ferngespräch.

»Meinst du das wirklich ernst, altes Mädchen?«

»Aber natürlich – und nenn mich nicht ›altes Mädchen‹. Das klingt so – so endgültig.«

»Entschuldige – aber Tessa, was ist mit deiner Kunst und allem anderen?«

»Zum Teufel mit meiner Kunst. Ich habe die Kunst satt.«

»Aber jetzt, wo du ein Meisterwerk vollbracht hast und berühmt bist?«

»Rede nicht mehr davon. Hör zu, Don . . . Erzähle es bitte niemandem, aber es ist alles meine Schuld. Ich habe es als Scherz gemeint, als einen Schlag gegen die ultramoderne Kunst. Ich habe nie im Traum daran gedacht, daß es jemand ernst nehmen könnte.«

Über die meilenweite Entfernung hinweg konnte man einen Pfiff hören.

»Lieber Himmel, das sieht dir ähnlich.«

»Jetzt reite nicht darauf herum, es ist schrecklich. Den ganzen Tag klingelt das Telefon. Die Zeitungen möchten Interviews, und ein gräßlicher Reporter hat einen Schnappschuß von mir gemacht, als ich aus dem Haus kam und so grinste. Ich bin verzweifelt. Es ist herrlich, in den Busch fliehen zu können.«

»Das wirst du tun, wenn du mit mir kommst. Du wirst um fünfzig Jahre zurückversetzt werden und das Hinterland erleben, wie es früher einmal war. Aber vielen Dank. Wir werden Spaß haben – wenn du es verkraften kannst.«

Sollte das ein Witz sein? Er wußte, daß sie keiner Herausforderung widerstehen konnte.

»Verkraften? Sei nicht idiotisch. Ich werde es genießen.«

Und damit war die Frage gelöst.

Tessa hängte ein und fühlte sich zum ersten Mal seit Tagen glücklich. Sie und Don waren immer gute Freunde gewesen. Ihre Mutter war gestorben, als der Junge fünfzehn und Tessa achtzehn war, und sie hatte ihren Traum aufgegeben, in Europa zu studieren, und war zu Hause geblieben, bis Don die Schule beendet hatte und ans Massey College gegangen war, um Landwirtschaft zu studieren. Ihr Vater hatte sich dann entschlossen, nach England zurückzugehen, und dort später wieder geheiratet. Als Don schließlich seinen Lebensunterhalt auf Schaffarmen verdiente, war seine Schwester den Konventionen und Edward Hall entflohen, hatte sich in ihrem kleinen Haus in der Stadt niedergelassen und sich mit ihrer Malerei sehr glücklich gefühlt.

Glücklicherweise hatte ihre Mutter ihr ein kleines Vermögen hinterlassen, denn ihre Malerei hätte das Haus und ihr kleines Auto nicht getragen. Die Kritiker nannten ihre Kunst »einfallslos« und »vergänglich«, aber die Malerei hatte ihr Freude gemacht bis zu dem verhängnisvollen Tag, an dem sie in einem unüberlegten Augenblick der Auflehnung wild Farben auf eine Leinwand gekleckst und es zum Spaß auf eine Kunstausstellung geschickt hatte. Sie hatte den Ultramodernen eine lange Nase gemacht, und jetzt mußte sie dafür bezahlen.

Innerhalb von vierundzwanzig Stunden war Thérèse Nelson (wie sie diesen ziemlich angeberischen Namen haßte!) berühmt geworden. Sie zeigte »reine Integrität«, ihre »Farbtöne waren großartig«, und am besten von allem war, daß sie »eine geistvolle Herausforderung« bewies – und das, überlegte Tessa, war wahr genug. Kurz, was war mit Thérèse geschehen? fragten die Kritiker.

Zuviel. Und jetzt schien es notwendig, mit Don wegzugehen, eine Pionierin zu werden, die Malerei und die Kunst für immer zu vergessen. Es hätte ihr nichts ausgemacht, wenn sie auf ihre Kritiker wütend gewesen wäre, aber Tessa war unfähig, auf irgend jemanden ernsthaft wütend zu sein, und sie besaß die verhängnisvolle Eigenschaft, den Standpunkt anderer Menschen zu verstehen. Wäre sie verärgert gewesen, dann hätte es ihr vielleicht Spaß gemacht, sie bloßzustellen. Aber wie die Dinge lagen, empfand sie nur Bedauern darüber, daß sie so überstürzt und dumm gehandelt hatte.

Ungestüm wie immer, nahm sie das erste Angebot für ihr Haus an, schrieb an Don, daß sie zunächst einmal ihre Möbel auf die Farm bringen würde, daß sie sich weigerte, über die nächsten sechs Monate hinauszudenken, »oder bis er eine Frau für sich fände.«

Sie mußte zugeben, daß es die Schwäche ihres Bruders war, sich zu verlieben, und er konnte die Mädchen schlecht beurteilen. Als treue Schwester dachte sie sofort, daß die Mädchen auch die Männer schlecht beurteilen konnten, denn sonst hätten sie Don sofort festgehalten. Er sah natürlich nicht besonders gut aus; dunkel wie Tessa, und anstelle ihres hübschen Gesichtes hatte er eingefallene Wangen und einen breiten, energischen Mund. Außerdem war er groß und schlank, und sein dunkles Haar stand borstig in die Höhe, wie die kleinen Federn auf dem Kopf eines schwarzen Hahns. Aber er war ein großartiger Mensch, dachte Tessa stolz. Humorvoll, arbeitsam und freundlich, aber unglücklicherweise leicht beeinflußbar. Ja, sie würde besser nicht mit mehr als sechs Monaten rechnen.

Und was würde sie dann tun, wenn ihr Haus verkauft war und sie alle Brücken hinter sich abgebrochen hatte? Bestimmt nicht hierher zurückkriechen; vielleicht konnte sie ein kleines Landhaus finden, fern von allem Trubel. Mit diesem Gedanken wandte sie sich achselzuckend von der Zukunft ab. Es ist noch früh genug, wenn der Tag gekommen ist ...

So fuhr Tessa an einem strahlenden Hochsommermorgen nach Norden, um ihren Bruder zu treffen und die Farm zu besichtigen, wo sie Pionierin werden wollte. Sie nannte es »das Land ausspionieren«, aber sie wußte, daß sie hingehen würde, ganz gleich, wie sonderbar der Ort sein mochte. Sie hatte ein Picknick eingepackt, und sie machten sich nach Westen in Richtung Küste auf.

Don freute sich, sie zu sehen, und als er etwas mehr über »Träume« und das Nachspiel gehört hatte, sagte er: »Na ja, da du dich nicht aufgerafft hast, die Sache damals aufzudecken, vermute ich, daß du dich aus der Affäre ziehen willst, solange es noch geht. Aber wahrscheinlich wirst du mit dieser Farm nicht einverstanden sein. Es ist wirkliches Hinterland, wie du es noch nicht gesehen hast, denn es ist ein verlassener Ort – der Fortschritt ist daran vorbeigegangen, wie es so schön heißt. Es ist eine Farm wie vor dreißig Jahren, schrecklich primitiv noch dazu. Ich werde kein bißchen erstaunt sein, wenn du sie ablehnst, nachdem du sie gesehen hast, und schnell zu deinem netten kleinen Haus in der Stadt zurückkehrst.«

»Das kann ich nicht tun. Es ist verkauft.«

»Lieber Gott, bist du voreilig. Und was ist, wenn du die Farm nicht ausstehen kannst?«

»Das werde ich. Und wenn du mich satt hast und mich hinauswirfst, kann ich immer noch woanders etwas kaufen. In diese Stadt gehe ich nicht zurück.«

»Diesmal bist du wirklich hereingefallen, nicht wahr? Was hat dich nur geritten?«

Sie zuckte die Achseln. »Ich weiß es jetzt auch nicht.«

Er lachte. »Du hast damals bestimmt nicht überlegt, das tust du nie. Denk nur an diesen langweiligen Menschen, mit dem du einmal verlobt warst und der dir immer gepredigt hat, dich auf morgen vorzubereiten.«

»Edward Hall. Komisch, daß du ihn gerade jetzt erwähnst, denn ich habe jahrelang kaum an ihn gedacht, und gerade in letzter Zeit taucht er ziemlich oft in der Erinnerung auf. Ich glaube, er hatte recht damit, daß man zweimal überlegen sollte, bevor man etwas tut. Aber laß uns nicht mehr davon reden. Es ist geschehen. Am besten vergessen wir es.«

Sie hatte es schon zu den Akten gelegt. Im Hinterland würde niemand etwas davon wissen, und sie würde sich darauf konzentrieren, für Don zu sorgen, ihm zum Erfolg seiner ersten Farm zu verhelfen und gut um ihn sorgen. Hier hielt sie inne. Sie würde damit beginnen müssen, eine gute Köchin zu werden. Männer brauchten ihre Mahlzeiten, und Pionierinnen waren herrliche Köchinnen, zumindest diejenigen, von denen sie gelesen hatte. Na ja, sie würde sich Mühe geben, obwohl sie das Kochen haßte. Natürlich nur so lange, bis Don das richtige Mädchen fand ... Und was dann? »Es lohnt nicht, sich darüber den Kopf zu zerbrechen«, sagte Tessa laut.

Don, der ziemlich schnell gefahren war und sich darauf konzentrierte, nach Verkehrspolizisten Ausschau zu halten, sagte: »Sich über was den Kopf zu zerbrechen?«

»Über die Zukunft, darüber, wie es mit mir weitergehen wird. Dieser ganze schreckliche Unsinn.«

Er grinste. »Na ja, so hast du immer gedacht. Eines der ersten Dinge, an die ich mich erinnere, ist, wie du einen Apfelblütenzweig abgebrochen hast, um ihn in eine Vase zu stellen, und wie Mutter dann sagte: »Du solltest keine Obstblüten pflücken. Denk an die Äpfel, die an diesem Zweig hätten wachsen können.« Aber du hast gelacht und gesagt: »Ich liebe Apfelblüten, und vielleicht bin ich tot, bevor die Äpfel reif sind.« – »Pflücke die Rosen, solange es Zeit ist! Der alte Herrick lag schon richtig.«

Sie waren drei Stunden lang gefahren, jetzt ging es ständig bergauf, immer nach Westen, und in diesem Augenblick verließen sie die gepflasterte Straße und kamen auf einen kurvenreichen Schotterweg, der steil abfiel und furchterregende Kurven hatte. Dieser wand sich durch einen grenzenlosen Wald, wo es kein Zeichen mehr für eine menschliche Behausung gab.

»Lieber Himmel, wie herrlich. Ich hätte nie im Traum daran gedacht, daß es so etwas noch auf der Nordinsel gibt. Warum bin ich nicht schon früher hierhergekommen?«

»Das tut niemand. Das ist richtiges Hinterland. Keine Farmen, bis man die Buschstraße erreicht.«

»Es ist jedenfalls ein wunderbarer Ort zum Leben. Ich hätte ihn schon lange ausfindig machen sollen.«

»Ich glaube, auch du würdest Gesellschaft brauchen, bevor du anfangen könntest, als Pionierin zu leben. Du könntest wohl kaum zwanzig Meilen von jeder Siedlung entfernt im Busch ganz alleine beginnen.«

»Warum nicht? Ich habe ein gesetztes Alter erreicht.«

»Das wirst du nie, nicht einmal in fünfzig Jahren.«

»Unsinn. Ich habe schon beschlossen, was ich tun werde, wenn du heiratest. Ich werde in irgendein leeres Haus auf einer verlassenen Farm ziehen und als Pionierin leben.«

»Das kann ich mir bei dir nicht vorstellen. Was ist mit deiner Malerei?« Ihr Gesicht verfinsterte sich. »Nein. Damit bin ich fertig.«

»Gerade jetzt, wo du Erfolg hast? Sie haben einen herrlichen Preis für diese Kleckserei bezahlt.«

»Du glaubst doch nicht, daß ich ihr gräßliches Geld anrühren würde? Ich würde mich wie Judas fühlen. Ich habe es als Preis für das beste gegenständliche Landschaftsgemälde des nächsten Jahres gestiftet. Ich wette, das hat sie aus der Fassung gebracht.«

»Was für ein kleiner Kampfgeist du bist! Hier wirst du nur die Natur haben, um zu kämpfen.«

»In Hülle und Fülle, und nichts, was die Aussicht versperrt ... Ich habe mir nie im Traum vorgestellt, daß eine Straße so steil und schmal sein kann – und daß überhaupt keine menschlichen Wesen in der Gegend sind.«

»Diese Kurve bringt uns auf die sogenannte Buschstraße, und an ihr liegen vier oder fünf Farmen. Das werden unsere Nachbarn sein, und der liebe Himmel weiß, wie sie dir gefallen werden.«

»Ich werde sie mögen ... Aber warum ist hier alles so wild und vernachlässigt?«

»Einmal wegen der Straße und dann wegen der weiten Entfernung von jeder Siedlung. Denn die meisten Farmen sind gescheitert. Ich glaube, es gibt nur zwei oder drei, die nicht wieder völlig verkommen sind. Und dann gibt es keine Elektrizität.«

»Warum nicht?«

»Es gibt zu wenige Abnehmer, als daß es sich lohnen würde, Leitungen durch diesen ganzen Busch zu legen. Es gibt natürlich auch keine Schule, und der nächste Laden befindet sich in Hectorville.«

»Noch mehr, was es nicht gibt?«

»Keine gleichgesinnte Gesellschaft, nehme ich an, insbesondere für einen Künstler.«

»Zum Teufel mit den Künstlern. Sonst noch irgend etwas?«

»Ja. Kein Schotter auf unserer privaten Straße.«

»Haben wir eine private Straße? Wie großartig!«

»Warte, bis du sie siehst. Eine halbe Meile Lehm, die im Busch verschwindet. Es muß die Hölle sein, im Winter durchzukommen.«

»Dann werden wir eben nicht versuchen durchzukommen. Wir werden herrliche, knisternde Feuer haben, uns daran wärmen und gute Platten hören.«

»Wie steht es mit etwas harter Arbeit? Ein Farmer im Busch hat nicht viel Zeit, am wärmenden Feuer zu sitzen.«

Das war schade. Der Gedanke an dieses Feuer gefiel ihr. Aber schon in der nächsten Minute hatte sie das völlig vergessen, denn sie kamen an einem kleinen Haus mit einem wunderschönen Garten vorbei und etwas weiter an einem stabilen Haus, das wie eine reiche Farm aussah.

»Und wie steht es mit denen?« fragte sie hoffnungsvoll.

»Ich habe dir gesagt, daß es ein paar Farmen gibt, die gutgehen. Das größere Haus ist das unseres nächsten Nachbarn. Mit der Hinterseite grenzt er an unser Land an. Sein Name ist Hansard, und ich glaube, er ist ein annehmbarer Bursche, aber ich habe ihn noch nicht kennengelernt. In dem kleinen Haus lebt ein Rentnerpaar, wie der Makler sagte«, und in diesem Augenblick bog er mit dem Wagen scheinbar in ein Loch im Busch ein, das sich aber als der Anfang ihrer eigenen Straße erwies. Sie war noch schmaler als diejenige, die sie jetzt verließen, und nicht geschottert. Don sagte: »In drei Minuten werden wir auf der Farm sein«, und sie konnte den Besitzerstolz in seiner Stimme hören.

Die schmale Straße schlängelte und wand sich, auf beiden Seiten war Busch, und dann kamen sie ganz unerwartet auf eine weite Lichtung. Die sogenannte Straße endete in einem Platz mit einigen verkommenen Schuppen, und oberhalb stand auf einem breiten Plateau ein altes Haus. Hier war auf allen Seiten der Busch abgeholzt und gefällt worden, und sie sah Koppeln, die von Farnen und Reben überwuchert zu werden drohten und deren Zäune wie Betrunkene schwankten. Tessa, die nie über das fruchtbare und gut bestellte Land der Ebenen hinausgekommen war, keuchte:

»Lieber Gott, ist das die Farm?«

Don sagte hastig und unsicher: »Aber sie ist viel besser, als sie aussieht. Ungefähr sechshundert Morgen, die vor vierzig Jahren umgepflügt und mit Gras besät wurden, die dann jedoch wieder verwildert sind.«

»Aber warum legt man eine Farm meilenweit von allem entfernt in der Mitte des Busches an?«

»Das war nach dem ersten Weltkrieg, als man Land für die Soldaten suchte und sich für diese verwilderten Orte entschloß. Das ist nicht die einzige Form dieser Art. Sie sind hier und da verstreut, und ein paar davon gehen gut. Aber diese hier hatte einen Besitzer nach dem anderen. Manchmal fanden es die Männer zu hart, oder ihre Frauen fanden es zu einsam, oder sie hatten Kinder, die zur Schule mußten, oder einer von ihnen wurde krank. Jedenfalls ist sie mehrmals in andere Hände gekommen, und als die letzten Besitzer vor zwei Jahren gingen, haben sie der Firma eine ungeheure Hypothek zurückgelassen und ihnen die Farm wieder aufgehängt. Sie haben sie ziemlich gut mit Vieh ausgestattet, und ich habe es übernommen, weil es an den Ort gewöhnt ist. Gott sei Dank ist die Farm nicht zu sehr verkommen, aber die Zäune sind völlig zum Teufel, und die Farne beginnen sich festzusetzen. Es muß hier verdammt viel getan werden.«

»Dann«, sagte Tessa, die fröhlich aus dem Auto stieg, »fangen wir so bald wie möglich an«, und sie ging den Weg zum Haus hinauf.

Don folgte ihr und sagte hastig: »Es ist ein gesundes Haus, aber sehr altmodisch. Gar nicht das, woran du gewöhnt bist. Ich hätte dich vor all dem warnen sollen. Keine Elektrizität. Nur eine Zinkbadewanne. Kein moderner Komfort.«

Letzteres veranlaßte Tessa stehenzubleiben. »Nein ...? Na und?«

Er zeigte unglücklich auf ein Loch im Hang. »Ein ungefähr fünfzig Fuß tiefes Loch im Boden. Das ist das einzige. Natürlich werde ich dort eine Kläranlage bauen.«

Sie hatte sich wieder erholt und lachte. »Fünfzig Fuß? Die wird nicht so schnell voll sein. Eine Kläranlage ist ja recht nützlich, und eine kleine körperliche Betätigung kann inzwischen niemandem schaden. All diese Zäune warten.«

Er stieß einen Seufzer der Erleichterung aus. Jemanden wie Tessa gab es kein zweites Mal.

In der Mitte hatte das Haus einen breiten Korridor, der zu beiden Seiten von Zimmern gesäumt war. Es waren große, luftige Zimmer mit vergilbten Tapeten. »Das ist gut so«, sagte Tessa, »denn die Tapeten waren bestimmt gräßlich, und zumindest sind sie nicht zerrissen.« Es war eine geräumige Veranda mit einer herrlichen Aussicht vorhanden. »Was will man mehr?« fragte sie begeistert und sah sich das Panorama von Busch und Feldern an. Später kam sie zu dem Schluß, daß ein elektrischer Herd ganz schön gewesen wäre; ganz zu schweigen von modernem Komfort.

»Wir haben nur einen schwarzen Ofen, bis ich einen Generator bekomme«, entschuldigte sich Don.

Er war sehr groß, und wo er nicht verrostet war, war er schwarz. Aber Tessa sagte nur: »Oh, das wird eine herrliche Ausrede sein. Ich habe noch nie kochen können.«

Dann lachte sie, denn sie erinnerte sich daran, wie Edward Hall tadelnd gesagt hatte: »Kochen ist genauso eine Kunst wie

Malen«, und dann hatte er mit ausgesprochener Abscheu das verschrumpelte Kotelett auf seinem Teller betrachtet.

Tessa starrte den Ofen fasziniert an. So etwas hatte sie noch nie gesehen, aber schließlich konnten ihre Kochkünste hier auch nicht viel schlechter sein als auf dem neuesten Elektroherd. Trotzdem, Don mußte gutes Essen bekommen. »Ich werde damit fertig werden«, sagte sie mutig, und Don lachte, als sie erklärte, daß Pionierinnen immer kulinarische Wunder auf Öfen oder sogar auf offenen Feuern und auf sogenannten Feldöfen vollbrachten.

»Trotzdem, es ist nicht ein Haus, wie du es eigentlich haben solltest. Kannst du dich denn hier wohl fühlen?«

»Ich sehne mich noch nicht nach Komfort, zumindest nicht für die nächsten vierzig Jahre. Ich mag das Haus gerne. Platz in Hülle und Fülle. All diese großen Zimmer. Man kann sie wunderschön herrichten. Warte nur, bis ich mich mit einem Pinsel an die Arbeit mache.«

Einen Augenblick lang hatte er Befürchtungen. Wenn es ihr nun einfiele, noch mehr Meisterwerke auf diesen Wänden zu vollbringen? »Aber das ist nicht deine Art von Malerei. Du bist eine Künstlerin.«

Tessas Antwort war sowohl eindringlich als grob, und sie wechselte schnell das Thema. »Warum sollte man sich über das Innere des Hauses Kopfzerbrechen machen, wenn man eine so herrliche Aussicht hat?« und mit diesen Worten holte sie ihren Picknikkorb hervor und bestand darauf, daß sie ihr Mittagessen auf den wackligen Stufen der Veranda einnahmen und dort auch rauchten.

Danach machte Don einen Rundgang auf der Farm. »Ich möchte sehen, wie es dem Vieh, das ich gekauft habe, geht. Meine Schafe kommen nächste Woche herauf. Ich möchte, daß der Grenzzaun bis dahin ziemlich fest ist.«

Tessa gefiel es, im Haus umherzugehen und die Umgebung zu durchstreifen, die einmal Garten gewesen war. Es waren nur noch ein paar Sträucher zurückgeblieben, und sie würde sich wohl am besten hier sofort an die Arbeit machen. Dons noch unbekannte Frau würde bestimmt einen Garten wollen. Sie war begeistert, einen alten Obstgarten mit einem Dutzend Apfelbäumen und etwas Steinobst hinter dem Haus zu finden. Liebevoll sah sie die harten grünen Äpfel an und sagte laut: »Im nächsten Frühjahr werde ich für das Haus Apfelblüten in Hülle und Fülle pflücken können.«

Im nächsten Frühjahr? Würde sie dann hier sein, um sie zu pflücken? Oh, eigentlich war es viel spannender, es nicht zu wissen.

2

Spät im Februar zogen sie auf die Farm. Da Tessa ihr Haus verkauft hatte, brachte sie ihre Möbel mit. Don besaß nur die Grundausstattung eines Junggesellen, das Notwendigste für ein Schlafzimmer und ein unbequemes Wohnzimmer. Als der Wagen mit den meisten weltlichen Gütern seiner Schwester ankam, sagte er: »Das ist nicht fair. Du hast das Haus möbliert, und was ist, wenn du es nicht aushalten kannst? Du hast von sechs Monaten gesprochen, und danach?«

»Laß danach danach sein. Im Augenblick erspart es die Lagergebühren. Warum in die Zukunft schauen?«

Er sah sie belustigt an. Es war immer dasselbe. Sie hatte ihm einmal Halls schlauen Kommentar über die Grashüpfermentalität anvertraut. Sie hatte darüber gelacht, aber er fand diese Bemerkung ziemlich beleidigend. Trotzdem, dieser Kerl hatte nicht ganz unrecht. Die gute Tessa bereitete sich nie auf einen Regentag vor, nicht einmal für einen schönen Tag, wenn er weit genug in der Zukunft lag. Aber er freute sich doch, daß er im Augenblick keine Möbel kaufen mußte.

Aber natürlich konnte sie von ihm nicht erwarten, daß er ihr bei der ganzen Auspackerei half, wo es auf der Farm soviel zu tun gab. Sie waren nur eine halbe Stunde vor dem Möbelwagen angekommen, und seine Habseligkeiten waren vorher in einem bescheidenen Fahrzeug eingetroffen. Seine Hunde waren darin gereist, und seine Pferde und sein Traktor waren einen Tag früher gekommen. Er konnte es gar nicht erwarten hinauszugehen und nachzusehen, wie es mit dem Vieh stand.

Der Maori-Fahrer, der Tessas Möbel gebracht hatte, war sehr hilfreich.

»Ich werde Ihnen ein bißchen helfen, die schweren Sachen hereinzutragen, wenn Sie sagen, wo sie stehen sollen.«

Da Tessa an diese Frage noch gar nicht gedacht hatte, geriet sie sofort aus der Fassung. Schrecklich, daß man ausprobieren und planen mußte, wenn ganz plötzlich diese Möbel ankamen. Sie eilte voraus und flehte ihn an. »Nicht dorthin. Drüben ans

Fenster und ganz an die Wand, so daß ich den Teppich legen kann ... Den Eisschrank in die Küche, nicht ins Schlafzimmer. Ja, natürlich, ich weiß, daß wir ihn nicht benutzen können, aber er muß irgendwo stehen, und ich möchte ihn nicht neben dem Bett haben. O bitte, lassen Sie doch das Sofa nicht im Badezimmer.«

Viel zu früh sagte Don entschuldigend: »Kommst du einigermaßen zurecht? Dann werde ich schnell eine Runde machen und nach dem Vieh sehen.«

Der Fahrer bemerkte, daß die Dame des Hauses jetzt alle Hände voll zu tun haben würde, und fuhr in die Stadt zurück. Tessa sah zu, wie der Möbelwagen in einer Staubwolke verschwand und Don in der entgegengesetzten Richtung von seinen Hunden gefolgt davonritt. Dann merkte sie, daß ein Bett mitten im Durchgang eingeklemmt war, und sie setzte sich darauf und zündete sich eine Zigarette an.

Sie hatte in der letzten Zeit zuviel geraucht, seit den anstrengenden schrecklichen Wochen, nachdem ihr Bild herausgekommen war. Jetzt, da sie sich in Frieden auf dem Land ausruhen konnte, würde sie weniger rauchen. Sie lächelte, als sie an Edward Halls Tadel dachte. »Du kennst doch sicher die Gefahr des Lungenkrebses?« Und dann sein Ärger, als sie antwortete: »Es dauert zwanzig Jahre, bis er sich entwickelt, und wer weiß, ob ich bis dahin nicht sowieso tot bin.« Komisch, wie sie sich in letzter Zeit immer wieder an Edward erinnerte, wenn sie irgend etwas besonders Unvernünftiges tat.

Sie hatte soeben ihre Zigarette ausgeraucht und auf die nächste verzichtet, und nun überlegte sie, warum die Männer eine besonders schwere Kiste in der Küche zurückgelassen hatten, als sie hörte, wie die Stimme ihres Bruders sie dringend rief. Sie eilte hinaus, eifrig bemüht, jede Krise im Leben einer Pionierin zu bewältigen. Aber sogar Tessa war leicht bestürzt, als er rief: »Kannst du einen Traktor fahren?«

Das war nicht der richtige Augenblick, um zu zögern, so rief sie zurück: »Natürlich!«

Einen Traktor hatte sie einmal bei einem Ferienaufenthalt auf dem Land hinter einem Zaun stehen sehen, näher war sie so einem Ungetüm noch nicht gekommen. Aber natürlich konnte sie ihn fahren. Sie war eine gute Autofahrerin, und der Mechanismus war doch überall gleich. Auf jeden Fall war sie jetzt dazu verpflichtet, denn Don rief: »Hast du eine halbe Stunde Zeit? Eine dumme Kuh ist in der ersten Koppel in den Sumpf geraten. Das verdammte Rindvieh hat nach etwas frischem Grün Ausschau gehalten, weil man es zu lange in dieser Koppel gelassen hatte. Jetzt steckt es bis zum Bauch im Schlamm, und ich habe schon versucht es herauszuziehen, aber ohne einen Traktor ist es nicht möglich.«

Derartige Dinge bewältigte eine Pionierin spielend. Sie hatte darüber gelesen und es bewundert. Sie fuhren Traktoren und molken Kühe; sie teilten das Vieh ein und halfen, die Schafe zu mustern und die Lämmer zu scheren; und nebenher zogen sie Familien groß, backten Brot und herrliche Kuchen. Na ja, was sie konnten, konnte sie sicherlich versuchen, außer natürlich die Familie – und die Kuchen. Sie war hierhergekommen, um zu helfen, und um eine Pionierin zu sein, und dies war der richtige Augenblick, um damit zu beginnen; sie wünschte nur, sie könnte mit einem Traktor umgehen.

Sie rannte den Hügel hinunter zu Don, der die Maschine in Gang gesetzt hatte. »Sie ist hier in der Senke. Ein scheußlicher Sumpf, aber wir werden sie schon herausbekommen. Sie ist noch nicht lange hier. Möchtest du lieber den Traktor dorthin fahren oder laufen?«

Natürlich wollte sie laufen. Wie gräßlich waren doch große Traktoren aus der Nähe; dieser war doch bestimmt größer als der auf Jocks Farm? Aber es lohnte nicht, darüber nachzudenken. Die Kuh mußte gerettet werden. Don würde den Gang einlegen, und der Rest war einfach. Fröhlich lief sie zum Sumpf hinunter.

Die Kuh steckte offensichtlich tief im Schlamm, aber sie schien ruhig zu sein, fast so, als gefiele ihr die Kühle. Tessa schenkte ihr einen verächtlichen Blick. Dummes Ding, in den Sumpf zu laufen und sie beim Auspacken zu stören, sie dazu zu zwingen, dieses Ungeheuer zu fahren. Wie fuhr man es überhaupt? Jetzt war der Augenblick gekommen, in dem sie nicht in Panik geraten oder Don spüren lassen durfte, wie sie sich fühlte.

Sie sagte unbesorgt: »Wie wäre es, wenn du fährst und ich nach der Kuh sehe?«

Er lächelte zu ihr herunter. »Ich möchte sehen, wie du mit deinen hundert Pfund kämpfst. Nein, du fährst, und ich kümmere mich um die Kuh.«

»Also gut, zeig mir die Gänge, oder zumindest den ersten. Die anderen werde ich nicht brauchen. Der Traktor, den ich gefahren habe, war anders, zumindest habe ich den Eindruck, daß er anders war. Aber ich habe ihn nicht näher kennengelernt. Jedenfalls war er kleiner, und der Sitz war nicht so hoch. Du mußt mich wohl hinaufheben.«

Das war im Nu geschehen. »Jetzt zeige ich dir, was du tun sollst.« Dann begann er, Hebel herauszuziehen, andere hineinzudrücken und dabei zu reden. »Das tust du zuerst ... Dann kommt das ... Das nächste ist einfach«, bis Tessa ihn unterbrach. »Wo ist die Bremse? Nur darauf kommt es mir an ... Lieber Himmel, wie unbeweglich sie ist und an was für einer komischen Stelle sie sich befindet. Oh, ich sehe schon ... Aber wie befestigst du die Kuh am Traktor?«

»Ich lege ein Seil um ihren Hals. Unglücklicherweise hat sie keine Hörner, aber mit dem Hals geht es schon gut, vorausgesetzt, daß du ganz sanft anfährst und nicht ruckartig ziehst.«

»Und was passiert, wenn ich das tue?«

»Na ja, dann könntest du ihr den Hals brechen. Aber das wirst du nicht tun. Sei ganz ruhig.«

»Ihr den Hals brechen? Wie schrecklich.« Tessa vergaß die Pionierinnen und kreischte: »Du mußt es tun. Ich verderbe bestimmt alles.«

»Unsinn. Du bist eine gute Autofahrerin.«

Einen größeren Unterschied als zwischen ihrem Miniauto und diesem Ungeheuer konnte man sich kaum vorstellen. »Aber was passiert, wenn ich ruckartig anfahre?«

»Vergiß es. Lege nur ganz sanft den Gang ein, wie ich es dir gezeigt habe. Du brauchst ja nur ein paar Meter weit zu fahren.«

Tessa hatte nur den einen Wunsch, zurückzugehen und weiter auszupacken.

»Wie weiß ich, wann ich halten soll?«

»Ich schreie, sobald sie draußen ist, und dann hältst du sofort an.«

Tessa biß die Zähne zusammen und dachte verzweifelt an die Pionierinnen. Sie ließen ihre Männer niemals im Stich. Das war ihre erste Prüfung. Aber sie wünschte, Don hätte nicht von dem Hals der Kuh gesprochen. Er rief: »Jetzt muß ich das Seil festmachen. Ich schreie, wenn sie fertig ist. Es dauert nicht mehr lange.«

Es dauert nicht lange genug für Tessa. Sie hatte die Gänge geübt, den Anlasser studiert, die Bremse gezogen, als wäre sie ein Rettungsseil. Nur allzu früh hörte sie seine Stimme: »Gut ... Jetzt ...« Und in diesem Augenblick hatte sie alles vergessen. Was mußte sie herausziehen? Wie startete man sanft? Ungestüm probierte sie ein oder zwei Dinge aus und war erschreckt über das laute Aufheulen, das folgte. Verzweifelt zog sie die Bremse. Der Traktor zitterte heftig und verstummte dann. Don kam zu ihr und übte sich in Geduld.

»Du hast ihn abgewürgt. Das hättest du tun sollen ... Ganz langsam und sanft anfahren, denn wenn du ruckartig ...«

»Kann ich ihr das Genick brechen«, unterbrach ihn Tessa. »Das weiß ich, danke schön.«

Dann kam ihr noch ein schrecklicherer Gedanke. Und was war, wenn sie nun falsch anfuhr, zu schnell startete, und der Kuh wirklich den Kopf abriß? Der Gedanke, daß ein abgetrennter Kopf blutig hinter dem Traktor herholpern könnte, brachte sie aus der Fassung, und sie flehte ihn an: »Don, du fährst. Ich weiß, daß ich es alles verpatzen werde. So etwas kann ich nicht. Ich werde mich um die Kuh kümmern.«

»Das ist völlig unmöglich. Hab keine Angst. Es kann nichts schiefgehen. Es handelt sich nur darum, langsam genug zu fahren.«

Wenn sie das nicht tat, konnte genug schiefgehen. Tessa merkte, daß sie nicht dafür geschaffen war, mit schweren Maschinen umzugehen. Jetzt fühlte sie sich klein und verängstigt. Sie war verrückt gewesen zu glauben, daß sie dieses Leben ohne jede Erfahrung anpacken könnte. Diese Frauen waren wahrscheinlich dazu geboren, sie hatten Traktoren schon als Kind gefahren, waren geritten, bevor sie laufen konnten, und hatten mit einer Hand Kühe aus Sümpfen gezogen. Es machte sie wahnsinnig, daß sie jetzt wieder Edward Halls Stimme hörte: »Eines Tages wirst du in Schwierigkeiten geraten.« Na ja, der Tag war gekommen ... und er würde wahrscheinlich hinzufügen: »Und das in deinem Alter.«

Beim Gedanken an diesen hervorragenden Mann trug Tessa wie gewöhnlich die Nase wieder höher. Sie würde es ihm zeigen. Schade, daß er sie jetzt nicht sehen konnte. Und in diesem Augenblick rief Dons Stimme: »Fertig«, und sie war jetzt fest entschlossen. Einen Moment tastete sie herum, dann startete sie die Maschine, legte sanft den Gang ein und empfand ein Gefühl des Triumphs, als sich das Fahrzeug langsam vorwärts bewegte. Es blieb ihr noch Zeit genug zu denken, daß sie eigentlich Edwards Geist dankbar sein sollte. Er machte ihr immer Mut.

Aber war sie langsam genug gefahren? Ging es der Kuh gut? Vor allem, saß der Kopf noch immer fest? Es gelang ihr, verstohlen über ihre Schulter zu blicken, und sie sah, daß der schwere Körper aus dem Sumpf aufgetaucht war und nun festen Boden erreichte. Einen Augenblick später rief Don: »Gut.« Aufgeregt zog sie die Bremse, fiel fast von ihrem gefährlichen Hochsitz und brachte den Traktor mit einem tiefen Seufzer der Erleichterung zum Stehen.

Sofort war sie von Triumph erfüllt. Ihre erste Prüfung hatte sie bestanden, und die Kuh war glücklicherweise noch am Leben. Die Pionierinnen hatten ihr nichts voraus. Was Edward Hall betraf ... Und Don hatte ihre Angst nicht geahnt. Sie hatte geholfen, das Leben eines Tieres zu retten. Ihr Herz fühlte sich zu der unglücklichen Kuh hingezogen, der man am Hals herumgezerrt hatte, die mit Schlamm bedeckt, jedoch vor einem grausamen Tod gerettet war. Sie sprang vom Traktor hinunter, um ihr zu helfen.. Das war ein Fehler, denn als Tessa plötzlich vor ihr auftauchte, kam wieder Leben in die Kuh. Zuerst hatte sie einfach dagestanden, offensichtlich betäubt, aber jetzt sah sie einen Feind vor sich, den sie wahrscheinlich für den Grund all ihres Mißgeschicks hielt. Sie stieß ein lautes Gebrüll aus, senkte ihren Kopf und bereitete den Angriff vor. Tessa war beleidigt. Das Tier, das sie gerettet hatte, schien nun ihren Untergang zu wollen. Don, der etwas weiter im Hintergrund stand, rief: »Spring auf den Traktor!« Sie drehte sich um, packte wild zu, griff daneben und sah jetzt die Kuh ganz nah vor sich. Sie stürzte auf die andere Seite des Traktors, dankbar, daß er so groß war. Die Kuh folgte, brüllte vor Wut und Enttäuschung. Eine Minute lang spielten die beiden verzweifelt Haschen um das Fahrzeug. Dann griff Don ein. Er schlug mit seinem großen Stock hart auf den Kopf des Tieres, es taumelte, blieb stehen, schwenkte seinen Kopf von einer Seite zur anderen, blickte sie bösartig an und schien dann zu überlegen, wen es von seinen beiden Feinden angreifen sollte. Dann kam es plötzlich und ohne Grund, wie es in der Natur dieser Tiere liegt, wieder zu sich, senkte seinen Kopf und begann, Gras zu fressen. Tessa ließ sich gegen das Traktorrad fallen und lachte hemmungslos.

Don sagte: »Lieber Himmel, ich hätte dich warnen sollen. Sie reagieren immer so, wenn man sie herausholt – werden wahnsinnig und greifen alles an, was sich in ihrem Blickfeld befindet.«

»Undankbares Biest – und dabei hatte ich fast einen Herzanfall, als ich sie rettete.«

»Es war sehr mutig von dir. Wir hätten sie verlieren können, wenn sie noch eine weitere Nacht in diesem Sumpf verbracht hätte, und jedes Tier zählt.«

Tessa lächelte, aber als er sagte: »Du fährst den Traktor nach Hause. Ich habe mein Pferd drüben an den Zaun gebunden«, widersprach sie. »Ich fahre ihn nicht einen Meter weiter. Diesen Abhang schaffe ich nie. So etwas hasse ich. Diese Traktoren machen immer Schwierigkeiten und bringen Leute um. Um ehrlich zu sein, Don, ich hatte nie zuvor einen gefahren.«

»Dann hast du deine Sache wirklich gut gemacht. Aber du würdest es immer mit allem aufnehmen. Du warst doch nicht nervös, oder?«

»Nervös? Ich war starr vor Schrecken. Ich habe einen Traktor nur einmal über einen Zaun gesehen, ich bin ihm noch nie näher als zehn Meter gekommen. Und sie sind gräßlich groß.«

»Verdammt noch mal ... Trotzdem, phantastisch von dir.«

»Oh, das war gar nichts«, sagte Tessa stolz. »Warum schließlich nicht. Die meisten Frauen im Hinterland machen solche Dinge.«

»Aber Künstler nicht.«

»Ich werfe dir etwas an den Kopf, wenn du mich einen Künstler nennst. Ein für allemal, ich bin eine Hinterländlerin.«

Nach dieser Erklärung war es natürlich ihr Los, sich ans Auspacken zu machen, sogar einige der Kisten zu öffnen. Wahrscheinlich würde sie auch die Teppiche legen müssen.

Denn Don kehrte nicht zurück. Schon bald sollte sie erfahren, daß »ein Ritt über die Farm« von einer Stunde bis zu einem halben Tag dauern konnte. Plötzlich bekam sie Lust auf eine Tasse Tee. Gott sei Dank hatte sie einen Spirituskocher mitgebracht. Mit Spirituskochern kannte Tessa sich gut aus, denn als sie einmal den Wunsch gehabt hatte, allem zu entfliehen, hatte sie sich ein Häuschen an einem verlassenen Strand gemietet, wo es keine Elektrizität gab, und hatte drei Monate lang alles auf zwei Spirituskochern gekocht. Aber wo hatte sie ihn hingepackt? Aufgeregt suchte sie eine Zeitlang, dann sagte sie laut: »Ich werde den Ofen anmachen. Schließlich muß ich mich doch an das gräßliche Ding gewöhnen.«

Sie suchte Späne und etwas Kleinholz zusammen, und in den geöffneten Kisten war Papier genug. Beim Picknick hatte sie oft Feuer angezündet; das war doch genau dasselbe. Wissenschaftlich baute sie Papier und Späne auf und hielt ein Streichholz daran. Das Ergebnis war, daß Qualm herausquoll, sie einhüllte und überall hinkroch, nur nicht den Kamin hinauf. Sie sprang hastig zurück, starrte ihn an und sagte laut: »Verdammtes Ding. Du bist genauso bösartig wie die Kuh.«

Eine sanfte Stimme sagte von der Tür aus: »Sie haben Schwierigkeiten, Fräulein? Nicht gewöhnt an Öfen. Aus der Stadt, oder?«

Tessa war böse, daß Don so etwas sagte, nachdem sie sich wie eine leidenschaftliche Pionierin verhalten und bei der Rettung der Kuh ihr eigenes Leben eingesetzt hatte. Außerdem war es albern von ihm, mit dieser schrecklichen Stimme zu sprechen und einen Fremden zu spielen.

Sie fuhr ihn an: »Sei kein Idiot. Was fehlt diesem blödsinnigen Ding?« Dann drehte sie sich um und stand einem Besucher gegenüber.

Und was für einem Besucher! War er ein Landstreicher? Von ihnen hatte sie gelesen, aber sie hatte geglaubt, sie seien heutzutage ausgestorben; doch offensichtlich war jetzt ihre Zeit wieder gekommen. Na ja, aber er sah harmlos und freundlich aus, ein Mann von ungefähr vierzig, klein und dürr mit einem mehrere Tage alten Bart, geflicktem Drillichzeug und einem schwarzen Unterhemd anstelle eines Oberhemdes. Sein Hut faszinierte sie – es war ein Schlapphut aus Stroh, geschmückt mit einer großen verblichenen Rose. Der Hut einer Frau. Selbst in seiner besten Zeit war er sicherlich schon scheußlich gewesen.

Er machte keine Anstalten, ihn abzunehmen, sondern kam in die Küche und sagte liebenswürdig: »Sehen Sie, was Sie getan haben – Sie wollten bei geschlossenen Klappen Feuer machen. Natürlich muß Rauch kommen, wo soll er sonst hingehen?« Im Handumdrehen hatte er an einigen Griffen herumgespielt, die Tessa nicht einmal gesehen hatte, und der Rauch zog den Kamin hinauf.

»So richtig. Jetzt ist gut. Sie wollten Tee machen?«

Tessa, die auf den Wink einging, sagte: »Ja. Möchten Sie eine Tasse haben? Vielen Dank, daß Sie das Ding in Ordnung gebracht haben. Das nächste Mal weiß ich Bescheid. Ich werde den Kessel mit Wasser aufsetzen.«

Es wird nicht kochen. Nicht mit dem bißchen Holz. Nicht genug, um es aufzuwärmen. Hier, wo ist die Axt?«

Inzwischen hatte sie ihn mit Hut und allem freudig akzeptiert. Wenn er ein Landstreicher war, so war er ein sehr hilfreicher, und sie zeigte auf die Säcke, die Dons Werkzeug enthielten. Sofort war er mit der Axt verschwunden und ging auf einen Holzklotz zu, der vor dem Tor lag. Bevor ihr Anbrennholz ausging, hatte er einen ganzen Stapel auf den Herd gelegt und schürte das Feuer mit einigen Scheiten.

Als sie wie gute Freunde auf einer Wäschekiste saßen, erzählte er ihr, wer er war.

»Alf Booker, oben an der Straße. Habe etwas Land, mit ein

bißchen Vieh darauf. Bin seit Ewigkeiten hier. Komme, um eine junge Kuh zu suchen. Sie streunt immer herum, und ich dachte, Sie haben sie vielleicht gesehen.«

»Nein, ich habe nur eine Kuh gesehen, und das hat genügt«, und sie gab ihm einen lebhaften Bericht von ihrem Abenteuer mit dem Traktor. Er erkannte ihre Leistung.

»Mut haben Sie. Komisch, wie oft kleine Frauen so sind. Ich habe sie gerne mutig. Können ihrem Mann viel helfen.«

»Hilft Ihre Frau auf der Farm?«

»Ich habe keine Frau; lebe alleine. Besser so. Busch ist kein Ort für eine Frau. Sie werden komisch, viele von ihnen.«

Tessa lachte. Das waren ja schöne Aussichten für sie, aber manche Leute waren sicher der Auffassung, daß sie jetzt schon komisch war. Alf betrachtete sie nachdenklich.

»Schon mal hier gewesen? Ich glaube, ich habe Sie irgendwo gesehen. Bin ziemlich sicher.«

Tessas Herz machte einen albernen Sprung. Er hielt sich doch bestimmt keine Zeitung? Und würde er sie von diesem dummen Foto her erkennen? Sie sagte hastig: »Nein. Ich bin nur für ein oder zwei Stunden hergekommen, um die Farm zu besichtigen, die mein Bruder übernommen hat.«

»Komisch, ich war sicher, daß ich Sie gesehen habe. Es war, als Sie lachten.«

Sie hatte gelacht, als dieser verdammte Reporter sie aufgenommen hatte. Sie schüttelte den Kopf.

»Vielleicht täusche ich mich. Aber ich habe ein gutes Gedächtnis für Gesichter. Sie sind mit Ihrem Bruder hierhergekommen? Na ja, vielleicht fühlen Sie sich hier wohl. Sie können lachen, verstehen Sie? Aber wenn eine Frau nicht lachen kann, dann beginnt der Busch sie unterzukriegen. Kommt auf dumme Gedanken. Beginnt, Dinge zu sehen. Nein, ich habe keine Frau.«

»Woher haben Sie dann diesen Hut?« Kaum waren diese Worte ausgesprochen, war Tessa schon über sich selbst schockiert. Sie waren einfach so hervorgesprudelt, wie es ihr allzu oft passierte. Sie waren taktlos und klangen wie ein schreckliches, komisches altes Lied, das ihr Vater immer summte. Sie sagte hastig: »Ich meine, er sieht aus, als hätte er einmal einer Frau gehört.«

»Das ist wahr!« Er war völlig ungerührt und nahm seinen Hut ab, um ihn mit liebevollem Interesse zu betrachten. »Gehörte Mrs. Enderby, die hier gelebt hat, bis sie es satt hatte. Hat ihn auf der Veranda gelassen, als sie wegging. War schade, ihn wegzuwerfen, so habe ich ihn genommen. Aber Sie haben ein Recht darauf, denn Sie haben die Farm gekauft«, und er hätte ihn ihr auf den Kopf gesetzt, wäre sie nicht schnell aufgesprungen, um ihm noch etwas Tee anzubieten.

»Aber nein. Nehmen Sie ihn. Er gehört Ihnen.«

»Vielen Dank. Aber ich trage eigentlich fast nie einen Hut. Nur ein Tuch. Nehmen Sie ihn. Noch etwas Zucker?«

Sie plauderten fröhlich, rauchten dabei, und sie erzählte ihm alles von der Hypothek und von Dons Übernahme der Farm. Sie erklärte ihm, daß er ihr Bruder sei und drei Jahre jünger. Er sah sie skeptisch an.

»Und Sie sind gekommen, um für ihn den Haushalt zu führen? Kein richtiger Ort für eine einzelne Dame. Sie haben ein Hobby?«

Darüber mußte Tessa einen Augenblick nachdenken, antwortete jedoch dann, daß sie kein Hobby habe, denn sie wollte sich nicht an ihre Malerei erinnern. Das war vorbei.

»Sie schreiben kein Buch? Sind kein Künstler?«

Entschlossen schüttelte Tessa den Kopf. Außerdem wären einige Kritiker bestimmt ihrer Meinung gewesen.

»Gut. Komisch, wie manche Künstler sind. Man muß die Dinge sehen, die sie machen! Man glaubt, sie sind verrückt. Es ist noch nicht lange her, da war ein Ding in der Zeitung. Was war es noch? Ja, sie nannten es ›Träume‹. Ich würde verrückt werden, wenn ich so einen Traum hätte. Eine Kleckserei, die man sich kaum vorstellen kann. Und sie nannten es ein Meisterwerk.«

Tessa hielt den Atem an. Würde er nun sagen »Und dort habe ich Ihr Foto gesehen?«

Sie lenkte ihn von dem Thema ab, fest entschlossen, daß ihre Sünden ihr nicht hierher folgen sollten. Sie sagte: »Nein, ich schreibe nicht einmal Bücher, aber der Ort wäre nicht ungeeignet. So friedlich.«

»Da ist so ein Bursche in Tana. Man sagt, er schreibt eins. Aber ich weiß nicht. Er ist wohl ziemlich nett. Bleibt ganz für sich, geht weg, wenn die Reisenden für die Ferien kommen. Da kann man ihm keinen Vorwurf machen. Wandert im Busch umher, warum, weiß ich nicht. Gut, daß Sie nicht Bücher schreiben oder malen. Ich mag gerne vernünftige Frauen.«

Tessa akzeptierte das damit ausgesprochene Lob erfreut. Zum erstenmal dachte jemand, daß sie vernünftig sei. Um von dem gefährlichen Thema der Künstler abzulenken, fragte sie ihn, ob er selbst ein Hobby habe. Er versuchte gleich auszuweichen.

»In gewisser Weise ja, aber es ist schwere Arbeit«, und dann interessierte er sich ganz offen und neugierig für ihre Habseligkeiten. »Ich sehe, Sie haben einen Transistor, natürlich kein Klavier. Die Leute haben das heute nicht mehr.«

»Ich habe eines, aber ich habe es nicht mitgebracht. Im Augenblick ist es im Lager in der Stadt.«

Sein Gesicht wurde lebhaft. »Spielen Sie es? Sie sind eine dieser Musiker?«

»O nein. Ich spiele nicht sehr gut. Aber ich tue es sehr gerne. So, jetzt muß ich weitermachen. Wenn wir heute abend Betten zum Schlafen oder einen Tisch zum Essen oder überhaupt irgend etwas zu essen haben wollen, darf ich hier nicht länger herumsitzen. Aber kommen Sie noch einmal, um meinen Bruder kennenzulernen. Er sieht sich gerade das Vieh an.«

Aber er ließ sie nicht allein. Er half ihr kräftig beim Auspacken, hob Kisten, öffnete Kästen, stellte die Möbel dorthin, wo sie nicht ständig darüber stolperte, schob – mit einem gemurmelten »dumme Affen« – das Bett weg, über das Tessa jedesmal hatte springen müssen, wenn sie durch den Gang wollte. Sie erinnerte ihn an seine Kuh. Sollte er nicht besser nach ihr suchen?

»Ihr wird es schon gutgehen. Hier ist so viel zu tun, und ein kleines Ding wie Sie kann nicht schwer heben. Die Kuh wird nicht weit wandern.«

Später sollte Tessa noch Zweifel an dieser Kuh bekommen, aber nur deshalb, weil sie sie nie in Wirklichkeit sah. Sie schien jedesmal in ihre Richtung zu streunen, wenn Alf Lust zu einem kleinen Klatsch hatte oder neugierig war zu erfahren, was sie taten.

Im Augenblick war er eine große Hilfe, und als er schließlich ging, ließ er sie mit einem schönen Stapel Brennholz zurück, die meisten Kisten waren geöffnet und standen mehr oder weniger an ihrem richtigen Platz.

»Herzlichen Dank. Don wird es so leid tun, daß er Sie verpaßt hat. Kommen Sie bald wieder.«

Es dämmerte fast, als ihr Bruder zurückkam, voller Entschuldigungen, als er sah, was alles getan worden war, aber begeistert von der Farm und dem Viehbestand.

»Weißt du, es wird eine gute Farm sein, wenn ich alles in Ordnung bringen kann. Natürlich ist schrecklich viel zu tun.«

»Ich wünschte, ich könnte dir helfen.«

»Das hast du heute nachmittag bestimmt getan, aber ich hätte dich nicht hier mit allem alleine lassen sollen.«

»Oh, das Haus kann immer warten, aber Kühe in Sümpfen nicht.«

»Es ist schon etwas ganz anderes, wenn man bei der Rückkehr ein warmes Haus und eine Mahlzeit vorfindet.«

»Die Mahlzeit ist nicht viel. Nur Büchsen. Das wird oft so sein. Ich war nie eine gute Köchin, und dieser Ofen nimmt mir noch den letzten Mut. Ich würde ohnehin lieber etwas im Freien übernehmen. Ich bin ganz sicher«, sagte Tessa in einem ihrer Augenblicke plötzlicher Begeisterung, »daß ich lernen könnte, einen Zaun zu bauen.«

Er lächelte. »Du bist nicht die geborene Amazone, aber dein guter Wille macht alles wett. Du würdest alles anpacken. Du hättest einen Farmer heiraten sollen.« Sie tranken einen Sherry und rauchten eine Zigarette vor dem Behelfsessen, und die Atmosphäre war sehr vertraut. Er sah sie nachdenklich an und fuhr fort: »Wenn wir schon dabei sind, ich habe mich immer gefragt, warum du nicht geheiratet hast. Du siehst gut aus. Die Männer mögen dich. Du bist weder eine leidenschaftliche Künstlerin noch eine Karrierefrau. Warum hast du es nicht getan?«

»Oh, ich weiß es nicht. Edward Hall war ein schlechter Anfang. Er war so – so beschränkt.«

»Das hätte nicht zu dir gepaßt. Beschränkt. Ja, sogar verdammt langweilig, würde ich sagen.«

»Ja. Er sagte immer so Dinge wie ›schau, bevor du springst‹. Und ›es geht nicht immer alles so leicht, wie man denkt‹, und ›wir sollten uns auf harte Zeiten vorbereiten‹.

»Na ja, wahrscheinlich klopft er sich jetzt selbst auf die Schulter. Einer der Burschen, der immer für eine Rezession gewappnet war.« – »Immer für das Schlimmste gewappnet ... Aber warum nennen es die Leute eine Rezession? Neulich unterhielten sich ein paar Zimmerleute über die harten Zeiten, und ich sagte: ›Na ja, natürlich, wir haben eine Krise.‹ Sie waren ganz schockiert und sagten, daß es keine Krise sei, sondern nur eine Rezession. Als ich fragte, was der Unterschied sei, konnten sie keine genaue Auskunft geben, bis auf einen. ›In einer Rezession weiß man, daß es wieder aufwärtsgeht.‹ Aber er hat nicht gesagt wie.«

»Das ist nichts für dich. Du magst keine Menschen, die sich immer auf Unannehmlichkeiten vorbereiten, und du magst keine Menschen, die ihnen nicht entgegentreten, wenn sie da sind. Übrigens, was ist aus deinem Edward Hall geworden?«

»Nicht meiner, Gott sei Dank. Er hat sich bestimmt gut gemacht. Er war ein erstklassiger Geschäftsmann, was immer das heißen mag. Seine Firma schickte ihn nach Malaysia, und ich habe Jahre lang nichts von ihm gehört und nicht an ihn gedacht. Erst in letzter Zeit ist er immer dann aufgetaucht, wenn ich etwas Aufregendes unternahm, zum Beispiel der Umzug hierhin.«

»Hat er dich vom Heiraten abgebracht?«

Tessa zögerte. Es war nicht ganz fair, dem armen Edward die Schuld an ihrem Junggesellendasein zu geben. Aber wie sollte man einen Mann davon überzeugen, daß sie das einfach vorzog? Sie sagte unbestimmt: »Eigentlich nicht. Natürlich war ich jung und sehr froh, als es zu Ende war und ich mich frei fühlte. Ich hatte gerade genug Geld für Brot und Butter, und meine Malerei sorgte für die Marmelade. Ich ziehe gerne umher. Das war schon immer so.«

»Um allem zu entfliehen? Das ist dir diesmal wirklich gelungen.« Mit diesen Worten ging er zum Fenster und sah hinaus. Tessa trat zu ihm, sie standen still da und blickten auf das Tal hinunter, wo die Hügelketten aufhörten und eine schwache Linie, die von der untergehenden Sonne rosa gefärbt wurde, das Meer anzeigte. Hier und dort sah man Rauchfahnen und blinkende Lichter, die bewiesen, daß sie doch nicht die einzigen Pioniere in diesem Gebiet waren.

»Ja, allem entflohen«, seufzte sie zufrieden, und dann schreckte sie ein Gedanke. »Dieser Mann, der heute da war, Alf Booker, der so freundlich und hilfreich war, sagte, er hätte mich bestimmt schon irgendwo gesehen. Kann es dieses verdammte Foto sein? Bekommen die Leute hier die Tageszeitungen?«

»Aber natürlich. Der Milchwagen bringt die Post und die Zeitungen über die Buschstraße. Dreimal in der Woche im Sommer, einmal im Winter. Sie bekommen mehrere Zeitungen auf einmal, aber auch wenn es sechs sind, würde ich wetten, daß sie jedes Wort lesen.«

»Wie schrecklich. Aber ganz sicher können mich die Leute darauf nicht erkennen?«

Er lachte. »Jetzt wollen wir essen, du bekommst allmählich Zwangsvorstellungen und hast Angst, daß dich deine schreckliche Vergangenheit sogar hier einholen könnte.«

Auch sie lachte. Sie begann wohl schon, »Dinge zu sehen«, wie es Alf von den Frauen im Busch behauptet hatte. Es war natürlich alles Unsinn. Sie war hier vollkommen sicher.

3

Natürlich waren sie nach Wochen noch nicht richtig eingerichtet. Tessa war keine Organisatorin. Sie sah keinen Grund, es zu sein und ließ sich nicht davon durcheinanderbringen, daß der Wohnzimmerteppich aufgerollt in einer Ecke liegenblieb oder die meiste Wäsche noch in einer Kiste war. Zumindest sah alles sauber, wenn auch nicht ordentlich aus. Tessa, die Hausarbeit haßte, hatte jeden Schrank, jedes Regal und den Boden geschrubbt, hatte die ganzen Spinnweben von den Decken geholt, die Fenster geputzt, liebevoll ihre Bilder aufgehängt und ihre Bücher aufgestellt. Dann packte sie Lebensmittel und Geschirr aus und war mit sich und der Welt zufrieden.

»Und das ist für lange Zeit das letzte, was ich getan habe. Der Rest kann warten.«

Don rief sie oft, damit sie ihm helfe, einige der Schafe abzuteilen, die Latten eines nahen Zaunes zu halten oder die Leiter zu sichern, während er neue Eisenplatten auf den undichten Wollschuppen legte. Und aus der »kleinen halben Stunde« wurden dann drei, und sie stürzten dann müde, erhitzt und mit sich selbst zufrieden ins Haus, um eine Büchse aufzumachen und eine Mahlzeit zuzubereiten.

Nicht vielen Frauen hätte dieses Leben Spaß gemacht; es wäre ein Fluch für eine stolze Hausfrau gewesen, die Hölle für einen ordnungsliebenden Menschen. Aber Tessa, die weder das eine noch das andere war, fühlte sich pudelwohl, und auch Don befriedigte es vollkommen. Er sagte das mehr als einmal, wobei er seine Schwester glücklich über Teller und Tasse hinweg anstrahlte.

»Lieber Himmel, Tessa, du verstehst, was ein Mann gerne hat. Keine Umstände. Keine Klagen, weil du soviel zu tun hast, oder Gejammer, weil du das Silber nicht putzen kannst. Du bist immer bereit, alles stehen- und liegenzulassen, um zu helfen. Genau das, was so ein Bursche braucht.«

»Das hängt von dem Burschen ab. Mancher hätte gerne ein blitzendes Haus und ein gut gekochtes Mittagessen.«

»Das sind Idioten. Sie können nicht das haben und ihre Haushälterin draußen beim Schafeeinteilen helfen lassen. Ich weiß, was mir lieber ist.«

»Ich auch; aber ich muß einfach bald dieses Wohnzimmer in Ordnung bringen. Ein Glück, daß kein Besuch kommen kann, niemand, der einmal hereinschaut, außer Alf, der nicht zählt, der Gute.«

Alf wurde ein guter Helfer, und er und Tessa saßen oft bei einer Tasse Tee und Zigaretten zusammen. Er reparierte den Abfluß und setzte eine neue Dichtung in den Badezimmerhahn ein; er übermittelte Tessa auch das, was er »den Klatsch« über den Distrikt und die Nachbarn nannte. »Es gibt nicht viele an dieser Buschstraße. Da sind die Butlers; sie haben ein kleines Haus, das nach der Abbiegung als erstes kommt. Sind in Ordnung. Machen keine Landwirtschaft. Leben nur so. Tom Hansard hat die Pacht ihres Landes. Alte, aber gute Leute. Sie werden sie mögen. Die Hansards sind jünger. Haben ein paar Kinder in der Stadt. Er ist ein guter Farmer. Hat Kühe und Schafe. Ihm macht diese Krise nicht viel aus. Nein, melkt die Kühe nicht selbst. Zwei Melker tun diese Arbeit. Geschwister wie Ihr, aber jung. Oben auf dem Hügel sind die Ellisons. Bißchen alt für den Busch, aber in Ordnung. Obwohl sie komisch sind. Ich sage Ihnen, die Menschen werden komisch im Busch. Man weiß nie, wie sie ihn vertragen ... Dann sind oben auf dem Hügel die Heavens.«

»Kaum zu glauben. Wie kann man Heaven heißen?«

»Na ja, sie heißen so. Noch dazu feine Leute. Maoris, deren Farm gutgeht. Heaven ist auch nicht komischer als Friday, der Bursche, der den Lastwagen fährt.«

»Oh, ich kenne Friday. Ich habe ihm neulich eine Bestellung für den Laden in Hectorville mitgegeben. Er ist groß und schrecklich nett – besteht nur aus Lachen und Kichern. Ich wünschte nur, er würde manchmal zur abgemachten Zeit kommen, nicht eine Stunde früher oder drei Stunden später. Ich habe schon schrecklich viel Zeit damit verbracht, an der Ecke auf ihn zu warten, um ihm meine Listen zu geben.«

»Das ist nicht notwendig. Warum rufen Sie den Laden nicht an?«

»Aber wie? Sie wollen mir doch nicht erzählen, daß dieses komische Ding, das an der Wand hängt, ein Telefon ist? Ich habe es neulich fast als Ramsch 'rausgeworfen. Klingelt es wirklich?«

»Klingelt gut, manchmal den ganzen Tag lang. Sie nennen es eine private Leitung, das heißt, daß zehn Leute daranhängen und sie dann alle gleichzeitig zuhören. Sie führt zu Jakes Laden in Hectorville, derjenige, der Ihre Bestellungen heraufschickt. Sie brauchen ihn nur anzuklingeln. Ich werde Ihre Leitung befestigen. War abgestellt, seitdem das Haus leersteht.«

»Das wird phantastisch sein. Wie ist Jake?«

»Ein guter Junge. Erstklassig, wenn er nüchtern ist, und nie häßlich, wenn er etwas getrunken hat.«

»Aber wenn er trinkt, kann er kein guter Postmeister sein.«

»Er ist in Ordnung. Wenn er zu sehr unter Alkohol steht, um die Post zu sortieren, kommt jemand und tut es für ihn. Alle haben Jake gerne, und sie möchten nicht, daß er in Schwierigkeiten kommt. Er wird schon gut für Sie sorgen.«

»Ist sein Laden der einzige?«

»Ja. Jakes Laden und das Postamt und eine Autowerkstatt und eine Pension und ein Dutzend Häuser und eine Schule und eine Kirche, das ist Hectorville.«

»Kein Hotel?«

»Nein. Aber das macht denen nichts aus. Sie brauen ihren eigenen Schnaps, und im Busch gibt es ein paar Brennereien. Von Zeit zu Zeit wird eine Razzia gemacht, aber meistens sagt die Polizei, leben und leben lassen.«

Tessa faszinierte diese Vorstellung von dem kleinen Dorf. Genau der richtige Platz für sie.

Alf war außerdem ihr Ratgeber in praktischen Angelegenheiten. Er zeigte ihr, wie sie mit dem Ofen fertig wurde, und erklärte, daß sie den Rauchfang manchmal säubern müsse. Dies klang nach einer gräßlichen Arbeit, und Tessa schob sie so lange auf, bis der Ruß eine Plage wurde. Dann machte sie sich im Badeanzug an die Arbeit; es war einfach, sich selbst und anschließend den Badeanzug zu waschen; es lohnte sich nicht, Zeit oder Arbeit zu verschwenden. Niemand würde sie sehen. Don befand sich im hinteren Teil der Farm, und Alf war für den ganzen Tag in die Stadt gefahren.

Nachdem sie einmal begonnen hatte, überkam sie die Arbeitswut, und bald war sie über und über mit Ruß beschmiert. Sie war sich gerade mit der schmutzigen Hand über die Stirn gefahren, als es an der Hintertüre klopfte. Wohl irgendein Handelsreisender, der sich verirrt hatte, na ja, er würde einen solchen Schrecken bekommen, daß er nicht blieb. Tessa setzte ihre Bademütze in einem, wie sie glaubte, günstigeren Winkel auf und ging dann zur Tür.

Draußen stand eine ältere Frau, und Tessa sah erleichtert, daß auch sie nicht sehr ordentlich gekleidet war. Doch zumindest sauber, denn das verblichene Baumwollkleid war zwar alt, aber makellos rein. Sie trug keinen Hut, und ihre schmalen Schultern waren gebeugt, aber ihr Lächeln war warm und herzlich.

»Wie vernünftig, sich bei dieser Arbeit so anzuziehen. Ich muß einmal nach meinem alten Badeanzug suchen, ich fürchte, daß er fast wie ein Sieb aussieht, aber trotzdem ... Möchten Sie, daß ich gehe?«

Tessa lachte. Das war der richtige Besuch. »Nein, natürlich nicht. Ich bin gerade fertig und will mich etwas waschen und mich umziehen. Kommen Sie ins Wohnzimmer. Hier ist es zu rußig. Es liegt zwar kein Teppich, aber dort stehen zwei gemütliche Sessel. Ich brauche nicht lange.«

In fünf Minuten war sie gewaschen und angezogen, und die beiden saßen fröhlich plaudernd in dem halbleeren Zimmer. »Ich bin Dora Butler, ihre Nachbarin weiter unten an der Straße – das kleine Häuschen, das Sie vielleicht gesehen haben. Es ist ja so ein Segen, keine Landwirtschaft zu betreiben. Wir sind immer schlecht damit fertig geworden, und es war uns fürchterlich, die Lämmer zum Schlachten zu schicken. Mr. Hansard hat unser Land, und es sieht jetzt wirklich sehr gut aus, und uns bleibt gerade genug für unsere Lieblinge, die Schafe und Rinder und ein paar alte Pferde.«

»Sie leben also nur dort und halten diesen hübschen Garten, der mir aufgefallen ist?«

»Ja. Als wir zu alt wurden, um Farmer zu sein, wollten wir

nicht in der Stadt leben. Es wäre so schwierig gewesen, wir hätten uns zu sehr umstellen müssen.«

Tessa mußte ihr recht geben, als sie die Männersocken und die schweren Stiefel, das wilde Haar und die leuchtenden blauen Augen betrachtete. Dora Butler würde sich nie in Konventionen fügen können. Sie sagte:

»Ist es nicht herrlich, sich keinen Zwang antun zu müssen? Ich habe das so sehr gehaßt. Ich bin hierhergekommen, weil ich alles satt hatte.«

Sie sagte nicht, daß »all das« die Welt der Kunst bedeutete, aber Dora nickte weise. »Ich glaube, daß Sie das vorziehen. Das sehe ich sofort. Und wie ich höre, helfen Sie Ihrem Bruder sehr viel.«

»Haben Sie das gehört? Aber ich bin außer Alf bis jetzt noch niemandem begegnet.«

»Oh, wir haben unsere Verbindungen. Der Sammelanschluß, wissen Sie. Übrigens habe ich versucht, Sie anzurufen, um zu fragen, ob ich kommen darf.«

»Haben Sie das getan? Ich stelle mich so dumm an mit dem Klingelzeichen. Einmal lang und dreimal kurz scheint mir sehr albern. Ich bin jedenfalls froh, daß Sie trotzdem gekommen sind.«

»Ich auch. Aber komischerweise meine ich, ich hätte Sie schon irgendwann gesehen. Kennen wir uns nicht?«

Da war diese gräßliche Frage wieder. Tessa wurde blaß, blieb aber fest entschlossen. »Nein, es sei denn, wir hätten uns in irgendeinem Laden in der Stadt getroffen.«

»Aber ich bin seit zehn Jahren nicht in der Stadt gewesen. Irgendwie bringe ich Sie mit Bildern in Verbindung. Wenn ich die Fotografien von einigen der Gemälde ansehe, meine ich, daß ich verrückt bin. Ich oder der Künstler – wahrscheinlich beide. In letzter Zeit war eines abgebildet. Natürlich bin ich sehr altmodisch, was die jungen Leute schrecklich rückständig nennen, aber dieses Bild, wirklich ... ›Träume‹ hieß es. Schrecklich, solche Träume zu haben. Aber die Kritiker fanden es herrlich, was beweist, wie dumm ich bin. Ob Sie es wohl gesehen haben ... Wie war noch der Name des Künstlers?«

Es entstand eine schreckliche Pause, während der Tessa ihren Atem anhielt. Dann »lassen Sie mich überlegen ... Wie ich Namen vergesse ... Ich glaube, irgend etwas Französisches ...« Dann hatte Dora glücklicherweise einen Geistesblitz, und sie fragte unvermittelt: »Sprechen Sie Französisch?«

Hastig sagte Tessa: »Ich fürchte, nur Schulfranzösisch.«

»Das reicht vollkommen. Ein Wort hier und da. Das entmutigt sie.«

»Entmutigt sie?«

»Die Lauscher, wissen Sie. Es ist so hilfreich, wenn Sie etwas Vertrauliches am Telefon sagen wollen, jedoch ohne unhöflich zu sein, indem Sie direkt sagen ›Bitte gehen Sie aus der Leitung‹. Sehen Sie, es sind zehn Leute angeschlossen, was kann man also anderes erwarten?«

Tessa war fasziniert von der Art, wie sich der Besuch mit ihr unterhielt, die Mentalität der Leute im Hinterland. »Aber ich hatte gedacht, daß diese Dinge schon seit vierzig Jahren ausgestorben seien.«

»O nein, hier nicht. Aber sehen Sie, wir sind vierzig Jahre im Rückstand, die meisten von uns, und deshalb passen George und ich so gut hierher. Für die Jungen ist es natürlich hart, aber die meisten sind weg, wie die Hansards, obwohl ich sicher bin, daß es für die Summers etwas sonderbar ist, aber wenn man Kühe melkt ...«

Tessa fiel es schwer zu folgen, aber sie sprach wohl von den Geschwistern, die auf der Farm der Hansards die Kühe molken.

»Aber ich kann nicht verstehen«, fuhr sie fort, »warum das hier so ist. Ich habe nicht geglaubt, daß es solche Orte heute noch gibt. Ich meine, ohne Elektrizität, die schlechten Straßen, Sammelanschlüsse und all das.«

»Oh, ich glaube, es gibt wahrscheinlich schon noch welche; Orte, die vor langer Zeit besiedelt wurden, wo das Land schwierig war und unfruchtbar wurde und die Entfernungen zu groß waren. Ein paar tatkräftige Leute wie Mr. Hansard machen etwas daraus, aber alle anderen verlieren den Mut und geben auf, und so bekommt ein Distrikt einen schlechten Namen. Es gibt so wenige Farmen, daß es sich nicht lohnt, Stromleitungen zu legen, und das gefällt den Leuten nicht – und so wird alles schlechter und schlechter, obwohl wir es gar nicht schlecht finden ... Aber wird es Ihnen gefallen?«

»Uns gefällt es gut, und ich glaube, Don wird zu denen gehören, die Erfolg haben. Übrigens wollte ich mich nach dem Einkaufen erkundigen. Machen Sie mit Jake Geschäfte?«

»O ja. Das ist am klügsten, weil er doch der Postmeister ist. Aber einmal im Monat gehen wir nach Tana, die Siedlung an der Küste, wo es mehr Geschäfte und ein Kino gibt. Dort bekommen wir jeden Monat das nette Geschenk, das uns die Regierung gibt. Sie nennen es jetzt ›Soziale Sicherheit‹, soviel höflicher als Altersversorgung. Wir holen unser Sümmchen ab, kaufen die Kleinigkeiten ein, die Jake nicht hat, besuchen eine Matinée, und der freundliche Friday wartet auf uns und bringt uns nach Hause. Aber bis auf unsere kleinen Luxusartikel kaufen wir alles bei Jake, und das macht alles soviel angenehmer.«

Für Tessa war es ein ganz neuer Gedanke, daß die Post von der Lebensmittelbestellung abhängen könnte, aber so lernte sie schnell etwas über das Hinterland. Sie plauderten beim Tee, den sie auf dem Spirituskocher zubereitete. »Leider gibt es nur Kekse, und es hilft auch gar nichts zu behaupten, daß es jemals etwas anderes geben wird. Ich koche nicht gerne, und ich mache es schrecklich schlecht.«

»Es gibt genug bessere Dinge zu tun. Sie sind sehr klug.«

Offensichtlich hatten die Butlers kein Fahrzeug. »Wir hatten einmal ein altes Auto, aber George bekam solch einen Hexenschuß davon.« Als sie Tessas erstauntes Gesicht sah, fuhr sie fort: »Weil er in dem nassen Gras darunterlag, wissen Sie, und herauszufinden versuchte, warum es nicht fahren wollte.«

»Oh, ich verstehe. Ich habe nur ein kleines Auto, und ich werde in der nächsten Zeit Hectorville erforschen. Kommen Sie doch mit mir.«

»Das wäre schön. Einmal ein Bummel außer der Reihe. Sie werden Jake mögen, und er wird Sie mögen, und auf die persönliche Bekanntschaft kommt es an.«

»Wie meinen Sie das?«

»Na ja, er hat natürlich seine Vorlieben und seine Abneigungen, und das wirkt sich alles auf die Post aus. Aber er wird Sie mögen.« Und sie lächelte herzlich, als sie sich erhob, um zu gehen.

Tessa sagte spontan: »Ich freue mich, daß Sie gekommen sind. Kommen Sie bald wieder. Es tut mir leid, daß ich Sie im Badeanzug empfangen habe.«

»Sie sahen sehr nett darin aus. Natürlich werde ich wiederkommen, aber Sie müssen uns auch bald besuchen.«

Tessa war begeistert von ihrem Besuch. »Sie ist völlig gelöst und macht überhaupt keine Umstände«, erzählte sie Don.

»Gut. Das ist dein Schlag. Auch ich habe heute einen Nachbarn getroffen – Tom Hansard. Der hintere Teil unserer Grundstücke grenzt an seine Farm, weißt du. Ich versuchte gerade, diesen verdammten Zaun aufzurichten, als er vorbeikam. Er ist ein sehr praktischer Farmer und weiß alles über dieses Land. Er sagte, wir würden zusammenarbeiten, wenn ich wollte. Auch zusammen schlachten.«

»Was zusammen tun?«

»Er schlachtet Schafe, und sein Melker bekommt ein Drittel. Wir können das andere Drittel haben und uns am Schlachten beteiligen. Es ist besser, als das Fleisch mit dem Milchwagen kommen zu lassen.«

Tessa stimmte ihm zu, als sie an die häßlichen, tropfenden Pakete dachte, die sie aus dem Kasten zog, nur um sie den Hunden vorzuwerfen, weil sich die Fliegen schon daraufgesetzt hatten. »Aber können wir soviel Fleisch brauchen ohne einen Eisschrank?«

»Sehr gut. Ich werde Alf dazu bringen, unter diesem Baum im Hof eine gute Speisekammer zu bauen. Dort wird sich das Fleisch fast genauso lange halten wie in einem Eisschrank.«

»Glaubst du, daß Alf eine wirklich gute Speisekammer bauen kann?«

»Ja. Hansard sagt, er sei ein erstklassiger Mann für alles, aber kein Farmer. Hat nur etwas Vieh auf seinem Land und macht sich weiter keine Sorgen. Er ist ein sonderbarer Bursche.«

»Das nenne ich nicht sonderbar. Ich nenne es vernünftig. Übrigens war ich völlig entsetzt, als Mrs. Butler sagte: »Kennen wir uns nicht?« Natürlich sagte ich nein, aber sie betrachtete mich immer wieder und begann von diesem verdammten Bild zu sprechen. Glücklicherweise sagte sie, die Künstlerin habe einen französischen Namen. Zum erstenmal bin ich für meinen affektierten Vornamen Thérèse dankbar.

»Ich weiß gar nicht, warum du dich über diese Angelegenheit so aufregst. Schließlich hat sie dich berühmt gemacht. Wenn du aber ein so schlechtes Gefühl dabei hattest, dann hättest du auf der Stelle mit der Wahrheit herausrücken sollen. Da du das nicht getan hast, ist es sinnlos, in Panik zu geraten, wenn jemand die Sache erwähnt. Du nennst andere Menschen sonderbar, aber ich glaube, du bist die Sonderbarste von allen, wenn du dich so aufregst.«

»Kannst du nicht verstehen, daß ich das alles abgeworfen habe – wie eine Schlangenhaut oder so?«

»Und jetzt bist du in die Rolle einer Pionierin geschlüpft, nicht wahr? Das ist ein neues Spiel, und solche Dummheiten haben dir immer Spaß gemacht.«

»Mach mich doch nicht so lächerlich. Ich *bin* eine Pionierin.«

Er lachte. »Du siehst nicht wie eine aus. Schon gut – eine Pionierin für sechs Monate –, auf daß du noch kräftiger wirst. Du bist für mich unentbehrlich. Du und Alf, ihr seid phantastische Kameraden. Hat er dir schon seine ganze Vergangenheit erzählt?«

»Nein. Ich glaube nicht, daß sie sehr berühmt ist, aber trotzdem verbirgt er irgendein Geheimnis. Irgendeine versteckte Schwäche. Nein, Don, er trinkt bestimmt nicht. Irgend etwas Sonderbares.«

»Da fängst du schon wieder an. Du magst die Leute eigentlich nur, wenn sie sonderbar sind.«

Bald sollte sie Alfs sündiges Geheimnis entdecken. Er hatte den Speiseschrank gebaut, und Tessa machte ihm Komplimente, indem sie sagte: »Ich glaube, Zimmermannsarbeit ist eigentlich Ihr Hobby, Alf? Sie haben mir einmal gesagt, jeder im Busch sollte ein Hobby haben.«

Die Röte war sogar durch seinen ziemlich starken Bart hindurch zu sehen. Er sagte: »Nein, das nicht.«

»Was denn?«

»Na ja – Sie werden sich totlachen, aber es ist – es ist das Klavier.«

»Das ... oh, ich verstehe.« Tessa war fest entschlossen, ihre Überraschung nicht zu zeigen. »Deshalb haben Sie mich an diesem ersten Tag gefragt, ob ich ein Klavier besitze. Mögen Sie gerne Musik?«

»Ja, das tu' ich – und ich habe eines.«

»Was, ein Klavier?« Sie versuchte, sich ein Klavier in dieser schiefen Hütte vorzustellen, an der sie vor ein oder zwei Tagen vorbeigegangen war. Dann sagte sie hastig: »Wie herrlich. Haben Sie es schon lange?«

»Nein, erst seit ein paar Monaten. Ich möchte, daß Sie es sich einmal angucken.« Dann sprudelte es plötzlich verzweifelt aus ihm hervor. »Sehen Sie, es war so. Ich war in die Stadt gegangen und hatte meinen freien Tag, mit Kneipe und allem – nun, Sie wissen, was ich meine.«

Tessa nickte; sie wußte alles über freie Tage. Sie wußte, daß viele Männer sich solche Abwechslungen genehmigen, und Tessa, deren Urteil immer nachsichtig war, sah nicht ein, warum sie das nicht tun sollten. Es gab bestimmt keinen Grund, warum Alf, ein einsamer Junggeselle ohne rachsüchtige Ehefrau, die zu Hause wartete, sich nicht bei einem seiner seltenen Besuche in der Stadt amüsieren sollte. Da er ihre Toleranz gespürt hatte, fuhr er fort: »Ich hatte ein bißchen Geld, und ich dachte, warum nicht ein paar Möbelstücke kaufen, um das Haus gemütlicher zu machen. So gehe ich auf eine Versteigerung, und da ist – ein altes Klavier, ziemlich staubig, war wohl schon lange da. Dann kommt ein junger Bursche herein mit seinem Mädchen und sagt: ›Stell dir vor, ein Klavier ... man sieht so was heute kaum noch‹, und er setzt sich und spielt eine kleine Melodie. Und irgend etwas in mir sagt: ›Warum soll ich Möbel kaufen? Warum nicht ein Klavier?‹ Ich war etwas beschwipst, verstehen Sie?«

Tessa nickte voller Verständnis. »So haben Sie es gekauft?«

»Es war sehr billig. Es hat mehr gekostet, es hierher zu befördern, als es zu kaufen. Der Bursche auf der Versteigerung sagte, keiner wollte heutzutage ein Klavier. Natürlich, wenn ich mir nicht einen genehmigt hätte in der Kneipe, hätte ich es nicht getan. Aber so tat ich es, und ich bin froh darüber.«

»Ich auch. Ist es ein gutes Klavier?«

»Ja. Aber es mußte gestimmt werden, und da hatte ich ein bißchen Glück. Ein Handelsreisender kam vorbei. Er hatte eine Panne auf der Straße, und er war früher Klavierstimmer, aber jetzt braucht ihn niemand mehr. So hat er es gestimmt, weil ich ihn für die Nacht aufgenommen habe und ihm etwas zu essen gab. Jetzt geht es gut, oder würde gut gehen, wenn ich darauf spielen könnte.«

»Aber ein bißchen können Sie es doch sicher?«

»Na ja, ich hatte ein Buch bestellt, das einem in zwölf Lektionen Klavierspielen beibringt. Aber es ist nicht viel daraus geworden. Ich glaube, ich bin zu dumm. Trotzdem, ein oder zwei Melodien kann ich spielen, aber ich wünschte, ich könnte es richtig lernen.«

Er sah sie sehnsüchtig an, und Tessa war ganz gerührt, als sie sich vorstellte, wie er in seiner ungewöhnlichen Aufmachung mit Hut und allem Drum und Dran am Klavier saß und leidenschaftlich in die Tasten griff.

Sie sagte: »Na ja, ich bin keine Pianistin, aber ich kann ein bißchen spielen. Soll ich Ihnen helfen?«

Er war Feuer und Flamme, wollte sich aber nicht »aufdrängen«, und sie sagte fröhlich: »Oh, Unsinn. Sie haben so viel für mich getan. Denken Sie doch an all die kleinen Arbeiten, mit denen Don nie fertig wird. Ich würde gerne kommen und Ihnen mit dem Klavier helfen. Wir wollen uns verabreden.«

Aber dieser unüberlegte Ausdruck schien ihn verlegen zu machen. »Sind Sie sicher, daß das geht? Wird Ihnen das keine Unannehmlichkeiten machen?«

Ohne zu verstehen, was er meinte, sage sie: »Unannehmlichkeiten? Natürlich macht das keine Unannehmlichkeiten.«

Er sah unsicher aus. »In mein Haus zu kommen, meine ich. Wissen Sie, es ist das Haus eines Junggesellen, und Sie sind eine einzelne Dame. Ich möchte nicht, daß die Leute zu reden anfangen. Das ist nicht fair Ihnen gegenüber. Ich habe keine Absichten, sozusagen.«

Tessa drehte sich schnell zum Ofen um. Nicht um alles in der Welt hätte sie gelacht. Sie kämpfte einen Moment lang mit sich selbst und sagte dann ernst: »Ist gut, Alf. Wir verstehen einander. Keine Absichten auf beiden Seiten. Nur gute Freunde. Außerdem, wer sollte es erfahren, und was würde es ausmachen?«

Er war beruhigt, und sie versprach, ihn und das Klavier bald zu besuchen.

Für Don machte sie an diesem Abend eine gute Geschichte daraus. Sie hatte sich angewöhnt, lustige Dinge für ihn zu sammeln, denn oft kam er angesichts der Größe der Aufgabe, die er angepackt hatte, sehr müde und etwas entmutigt nach Hause.

Begeistert hörte er von dem Klavier und erklärte, er sei erleichtert, daß Alf keine ernsthaften Absichten habe. »Ein harter Schlag für dich, altes Mädchen. Du bist daran gewöhnt, die Männer einzufangen.«

»Oh, das ist schon Jahre her«, erklärte sie nicht ganz wahrheitsgemäß.

»Ich bin jetzt eine überzeugte Junggesellin geworden.«

»Versuche nicht, ein trauriges Gesicht zu machen. Du weißt, daß du dir dieses Schicksal selbst ausgesucht hast.«

»Vielleicht. Aber Don, wie die Leute das Telefon abhören! Es klickte zweimal, als ich versuchte, heute mit Mrs. Butler zu sprechen.«

»Hansard sagte, es ist bei manchen von ihnen eine fixe Idee. Mann und Frau nehmen abwechselnd den Hörer, und es macht ihnen gar nichts aus, wenn die Kinder sie dabei erwischen.«

»Na ja, ich besuche Dora Butler morgen. Es ist einfacher, als mit dem Ding zu kämpfen, und ich möchte ihr vorschlagen, daß wir Donnerstag nach Hectorville gehen.«

Es war ein netter Spaziergang über die Koppeln und nachher den Pfad durch den Busch entlang bis zu dem kleinen Häuschen der Butlers. Tessa erinnerte sich an den bunten Garten, der ihr auf dieser ersten Reise aufgefallen war, aber bald merkte sie, daß diese Ordunng rein äußerlich war. Innen herrschte das reinste Chaos. Die Tiere stolperten übereinander. Ein großes Schaf schlummerte auf der Verandatreppe, mißgünstig bewacht von einem alten Hund. Im Haus war ein Wirrwarr von alten und herrlichen Gegenständen, wertvollen Büchern, verblaßten Taschenbuchausgaben, überfließenden Aschenbechern; und auch hier gab es Tiere. Zwei Katzen hatten sich in einem Sessel zusammengerollt, und ein großer Schäferhund tauchte unter einem feinen Mahagonitisch auf. Ein wunderschöner Perserteppich lag auf dem Boden, einige antike Schalen standen auf dem Kamin, und ein Durcheinander von groben Küchentassen und Untertellern befand sich auf einem Zinntablett. Inmitten all dieser Gegenstände wirkte Dora Butler heiter und würdig und bemerkte offensichtlich überhaupt nichts Ungewöhnliches an ihrer Umgebung. Trotz seiner Unordnung war der Raum wie Dora selbst erstaunlich sauber. Natürlich war alles von einem leichten Film von Asche überdeckt, aber das war unvermeidlich, denn ein kleines Holzfeuer glimmte sogar an diesem heißen Tag in dem großen Kamin. Wie Tessa später erfuhr, wurde dieses Feuer auch im Hochsommer nie gelöscht. Wenn George zu Bett ging, häufte er Asche über die schwelende Glut, und am Morgen deckte Dora sie auf und setzte den großen Eisenkessel auf die Kohlen. Dieser Kesssel kochte ständig, und Mrs. Butler lebte offensichtlich von Tee. Tessa sah sie selten irgend etwas essen, aber wenn jemand zu ihr kam, war ihre immer gleichbleibende Bemerkung: »Ich mache mir gerade eine Tasse Tee.«

George war groß, weißhaarig, hager und höflich. Ein solches Paar hatte Tessa nie zuvor gesehen. Sie waren das, was man vor fünfzig Jahren »vornehme Leute« genannt hätte. Sie hatten angenehme ruhige Manieren und legten keinen Wert auf Äußerlichkeiten oder Konventionen. »Ich vermute«, sagte Tessa später zu Don, »das kommt von dem Leben, das sie hier gelebt haben, weit entfernt von anderen Menschen, nach einem eigenen Gesetz.« Später entdeckte sie, daß Doras sanfte, musikalische Stimme nie laut wurde, auch nicht im Augenblick einer akuten Krise, und in diesem unordentlichen und von Tieren beherrschten Haus gab es viele Krisen.

Eine ereignete sich, während sie die unvermeidliche Tasse Tee trank. Der Raum war in Frieden gehüllt. Die Katzen schlummerten in ihrem Sessel, der Schäferhund hatte sich auf sein Lager unter dem Tisch zurückgezogen, und Dora erzählte von ihrer Kindheit in einem englischen Pfarrhaus auf dem Lande. Dann kam sie auf Mrs. Hansard, die auch eine Engländerin war. »Sie werden sie mögen, und sie ist schon gespannt, Sie kennenzulernen. Ihr Mann ist ein sehr erfolgreicher Farmer und ein guter Nachbar. Ihre zwei Kinder sind in der Stadt. Der Junge geht noch zur Schule, und das Mädchen macht einen Kurs in Handelskorrespondenz, wie sie es nennt. Sie haben eine große Herde von Kühen und zwei Melker – ein junges Geschwisterpaar, das erst seit einer Saison hier ist.«

Sofort dachte Tessa: »Gott sei Dank, jemand für Don«, und sie fragte: »Wie sind sie?«

»Ein sehr fähiges Mädchen und ein äußerst charmanter, aber ziemlich unnützer Bruder. Er schreibt Gedichte und sehr kluge Geschichten. Wissen Sie, die Art von Geschichten, in denen niemals etwas passiert und niemand irgend etwas sagt. Ich bin sicher, daß er seinen Weg macht.«

Das mit den Fähigkeiten des jungen Mannes meinte sie offensichtlich ganz ernst, aber Tessa war von dem Bericht über das Mädchen enttäuscht. »Sehr fähig.« Don mochte keine fähigen Mädchen; er hatte sie gerne jung und blond und sehr modern. Aber vielleicht war es ganz gut, daß sich keine Zerstreuung anbot, denn er hatte so viel zu tun und noch nicht viel Zeit gehabt, Joans Verlust zu überwinden.

»Dann ist da noch Alf, den Sie kennen. Ein paar Meilen weiter wohnen als nächstes die Ellisons. Nett, aber ziemlich sonderbar. Natürlich haben wir alle unsere kleinen Eigenarten, aber ...«

Was die kleinen Eigenarten der Ellisons waren, sollte Tessa nicht erfahren, denn in diesem Augenblick sprang sie mit einem Schrei auf und warf beinahe ihre Tasse um. Etwas war an ihrer Wange vorbeigeflattert und mit kalten, schuppigen Klauen in ihren Nacken gelandet. Dora kam schnell herbei und sagte mit ihrer sanften Stimme: »O je, das tut mir leid«, und scheuchte eine große graue Henne von Tessas Schulter.

»Eine – eine Henne ... Ich dachte ...«

»Ich fürchte, Nancy hat Sie erschreckt. Das ist eine ihrer unangenehmen kleinen Angewohnheiten. Sehen Sie, sie ist gewöhnt, daß ich in diesem Sessel sitze, und sie setzt sich oft auf meine Schulter beim Zubettgehen.«

»Beim Zubettgehen?«

»Ja. Unglücklicherweise besteht sie darauf, ihr Ei, ein sehr schönes braunes, in unser Schlafzimmer zu legen. Ich habe versucht, sie auszusperren, aber sie gluckte sofort, und ich hatte kein Ei. Küken wollte ich auch keine, so habe ich nachgegeben.«

Sanft brachte Mrs. Butler die Henne nach draußen und sprach dabei in ihrer ruhigen Art. »Wie ich schon sagte, hat natürlich jeder seine kleinen Eigenarten. Darin ist auch Nancy äußerst menschlich. Die Ellisons auch – aber das werden Sie selbst sehen. George und ich, wir haben Glück. Der Busch gefällt uns, aber manchmal macht er die Menschen etwas sonderbar . . .«

»Und weißt du, Don«, sagte Tessa an diesem Abend zu ihrem Bruder, »ich glaube, sie hat nicht die geringste Vorstellung davon, wie sonderbar sie selber ist. Aber das finde ich um so netter.«

»Mit Hennen und allem?«

»Na ja, ich habe Hennen eigentlich nie gemocht, aber mit so kleinen Dingen muß man fertig werden.«

Er lachte. »Weißt du, Mrs. Butler ist nicht die einzige, die etwas sonderbar ist.«

Mrs. Butler hatte ihre Nachbarin als »eine sehr fähige Frau« beschrieben, und Tessa beschloß sofort, daß sie Jean Hansard nicht mögen würde. Sie machte sich nichts aus fähigen Frauen. Aber in diesem Fall täuschte sie sich. Mrs. Hansard war nicht nur fähig; sie war lustig und amüsant, lachte über sich selbst und sagte, sie sei ›eine leidenschaftliche Mutter, eine von diesen geplagtesten aller Wesen‹.

»Ich bin jetzt fast genauso schlimm wie manche Leute mit ihren Katzen, und Sie wissen, wie langweilig sie sind. Ich ertappe mich dabei, wie ich jedem vom Jacks Fußball erzähle, weil er in der Schule so schlecht ist, und ich gebe mit Saras Tanzerei an, weil sie in dem Handelskorrespondenzkurs, den sie machen soll, so faul ist.«

»Wie herrlich, eine Tochter im Teenageralter zu haben.«

»Tja, der Meinung bin ich auch, obwohl einige Leute Mitleid mit mir haben, weil ihre Kleider gerade bis zum Oberschenkel reichen und sie zwischen langen glatten Haarsträhnen hervorblinzelt. Es war einmal lockig, aber sie hat es entkrausen lassen, was mir ein Verbrechen scheint.«

»Eigenartig, wenn ich denke, wie sehr ich mich nach kleinen Löckchen gesehnt habe.«

»Aber Sie haben gerade genug Wellen, Sie glückliches Mädchen. O ja, Sara ist sehr ausgefallen, wie sie es nennt. Aber das wird sie überwinden, und sonst ist sie sehr anständig und verachtet ihre Eltern eigentlich nicht. Wir haben also Glück. Natürlich möchte ich, daß sie netter aussieht, aber Schönheit ist wohl nicht mehr modern.«

Ja, Tessa mochte Jean Hansard, obwohl sie mit Bedauern Don gegenüber zugab, daß sie völlig normal zu sein schien.

»Tom Gott sei Dank auch, denn wenn es darum geht, Zäune zu setzen, ziehe ich normale Menschen vor. Wenn du dich nach ungewöhnlichen Leuten sehnst, hast du noch immer die Butlers und deinen Freund Alf, und die Ellisons sind auch noch da. Sogar Mrs. Butler gibt zu, daß sie etwas eigenartig sind.«

Natürlich wollte Tessa so bald wie möglich das berühmte Klavier sehen. »Obwohl ich fürchte, daß Alf denkt, ich hätte schließlich doch Absichten«, sagte sie zu Don. Das Häuschen war innen besser instand als außen. Es sah häßlich aus: Drei Räume waren als Anbau angelegt, offenkundig in der optimistischen Vorstellung, den Bau eines Tages vorne zu erweitern. Die Front wirkte nackt ohne einen Blumengarten, obwohl das Haus wenigstens von der Weide durch einen Zaun abgetrennt war. Das Innere war viel ordentlicher als Dora Butlers Haus, zum Teil wohl deshalb, weil es viel leerer war. Der Hauptraum hatte einen kahlen Boden, einen einfachen Tisch und einfache Stühle, die Alf selbst fabriziert hatte, und zwei hausgemachte Liegestühle; in einem davon schlummerte ein großer gelber Kater. Und unter all dem stand das Klavier. Mitten unter den schmucklosen Möbeln, makellos, unpassend und geliebt. Seine dunkle Oberfläche war auf Hochglanz poliert, und zwei schöne alte Messingleuchter, die Alf Gott weiß wo erworben und hier aufgestellt hatte, verliehen ihm das Aussehen eines wohlbehüteten Altars.

Als Tessa eintrat, öffnete der Kater listig die Augen, musterte sie sorgfältig und schlief wieder ein. In einem Regal standen mehrere zerlesene Bücher und das Lehrbuch *Klavierspielen in zwölf leichten Lektionen.* Alf übergab es ihr stolz, sie sah es sich an und legte es dann zur Seite. Später konnte es sich vielleicht als hilfreich erweisen, aber jetzt noch nicht. Auf sein bittendes Drängen hin öffnete sie das Klavier und setzte sich auf einen der harten Holzstühle. Behutsam ließ sie ihre Finger über die Tasten gleiten. Sie sahen alt aus, und sie fürchtete, daß sie piepsende und mißtönende Klänge hervorbringen würden.

Sie war froh, daß sie sich täuschte; das alte Piano besaß Klang und Tiefe. Damit sehr zufrieden, begann Tessa leise zu spielen. Es war eines von Mendelssohns ›Lieder ohne Worte‹, und sie spielte es etwas nervös, zaghaft, in der Befürchtung, klanglose Tasten zu berühren. Aber sie hatte sich getäuscht; und plötzlich vergaß sie den kahlen Raum, den Mann mit seinem verblichenen Drillichzeug, der sich nach vorne lehnte und eifrig zuhörte, und den gelben Kater, der sich aufgesetzt hatte und sie kritisch beobachtete. Sie war keine vollendete Pianistin, aber sie hatte einen hervorragenden Anschlag und ein gutes Gedächtnis. Als sie aufhörte und sich zu Alf umdrehte, war sie erstaunt über seinen versunkenen Blick; der Kater saß auf seinen Knien, und er hielt ihn ganz fest. Jetzt murmelte er: »Das ist gut. Dafür habe ich es gekauft – um so einem Stück zuzuhören.«

»Aber Sie müssen lernen, selbst zu spielen. Kommen Sie. Ich bin sicher, daß Sie ein oder zwei Melodien kennen. Zeigen Sie mir, was Sie können.«

»Nur wenn Sie versprechen, erst noch einmal zu spielen.«

Sie spielte eine Weile auswendig und dann improvisierend und überredete ihn anschließend, ihren Platz einzunehmen. Er weigerte sich. »Danach nicht«, bettelte er, als hätte er Paderewski zugehört. Aber Tessa blieb hart.

»Wie wollen Sie es lernen, wenn Sie es nicht versuchen?« kommandierte sie, und endlich gab er nach.

Er setzte sich und »klimperte eine Melodie«, wie er es nannte. Es war sofort klar, daß er eine echte musikalische Begabung besaß. Er konnte zwar nicht eine Note lesen, aber er hatte ein natürliches Gehör, und seine großen rauhen Hände berührten die Tasten liebevoll und leicht. Von Tessa ermutigt, kämpfte er sich durch drei oder vier Melodien, die in seiner Jugend populär gewesen waren. Es brachte Tessa etwas aus der Fassung, daß der gelbe Kater auf seine Schulter sprang, sobald er einige Eröffnungstöne gespielt hatte, und dort versunken sitzen blieb. Sie waren ein außergewöhnliches Paar.

Er spielte eine Weile, hielt dann inne und sagte verzweifelt: »Das ist alles. Mehr kann ich nicht, und man wird es leid, tagaus, tagein dieselben Melodien zu hören. Ich möchte andere lernen.«

»Und das werden Sie. Natürlich könnten Sie sie aus dem Radio nachspielen, denn darin sind Sie gut. Aber es wäre besser, wenn Sie lernten, Noten zu lesen. Wir wollen also damit anfangen. Setzen Sie sich in diesen Stuhl neben mich, und ich werde Ihnen die Grundbegriffe zeigen.«

Sie gaben ein sonderbares Bild ab, Seite an Seite in dem kahlen Zimmer, vertieft in ihre Arbeit, der gelbe Kater, der mit unbeweglichem Blick zusah, auf der Schulter seines Herrn. Alf entschuldigte sich für ihn. »Er scheint es zu mögen. Er sitzt immer dort. Es war nicht leicht, ihn festzuhalten, als Sie spielten.«

Tessa war froh, daß er das Tier zurückgehalten hatte. Eine Henne im Nacken war schon aufregend gewesen, aber der Kater, der sich wie ein Kunstkenner aufführte, hätte sie völlig verwirrt. Alf machte es nichts aus. Er war ganz hingerissen, vergaß seine Umgebung, sogar Tessas Nähe. Er zuckte auch nicht zurück, als sie ihre starken kleinen Hände auf die seinen legte und seine Finger leitete.

Nach einer halben Stunde stand sie auf. »Das ist genug für heute. Sie üben das immer wieder, und in ein paar Tagen komme ich zurück. Bald werden Sie dieses Buch benutzen können, aber vorläufig noch nicht.«

Er bettelte um »noch eine Melodie«, und sie erfüllte ihm den Wunsch, schüttelte sich leicht, als sich der gelbe Kater zielbewußt auf ihre Schulter setzte, protestierte aber nicht. Als sie ging, sagte er: »Ich habe viel von Ihrer Zeit in Anspruch genommen. Wir zwei werden besser morgen dieses Eßzimmer in Ordnung bringen.«

Sie stimmte zu und überlegte im Gehen, ob er sich wohl je mit der Farm beschäftigte. Dora aber beruhigte sie.

»Nicht sehr. Er bekommt eine Kriegerrente, wissen Sie, und er hat nur ein bißchen Vieh auf seinem kleinen Stück Land. Das läßt ihm viel Zeit für andere Arbeiten – eine sonderbare Art, Landwirtschaft zu betreiben.«

Tessa besuchte ihn wieder und entdeckte, daß er alles behalten hatte, was sie ihn gelehrt hatte. Sie gab ihm eine weitere Lektion und schärfte ihm beim Abschied ein, daß er sich darauf konzentrieren müsse, Noten lesen zu lernen. »Bevor Sie das nicht können, werden Sie nicht weit kommen.«

»Und, was glaubst du, wie weit der arme Kerl kommen wird?« fragte Don sie unbarmherzig an diesem Abend. »Was soll das eigentlich? Warum läßt du ihn nicht weiter seine kleinen Melodien nach Gehör klimpern und sich damit vergnügen? Er wird nie dahinterkommen, wie man Noten liest.«

»Doch, das wird er. Er ist vielleicht ein unmöglicher Farmer, aber er ist intelligent und sehr eifrig. Ich sage nicht, daß er viel Talent hat. Kein unentdecktes musikalisches Genie – aber ein bißchen Talent hat er, und er liebt die Musik. Es ist sein größter Wunsch, und es lohnt die Mühe.«

»Jetzt hast du wieder diesen leidenschaftlichen Blick in deinem Gesicht. Ich kenne ihn. Das heißt, daß du ihm das Klavierspielen beibringen wirst und daß dich nichts daran hindern kann. Ich würde euch gerne sehen, wie ihr gemütlich Seite an Seite sitzt, bewacht von dem gelben Kater. Ich hoffe, Alf badet manchmal.«

»Natürlich tut er das. Neben seinem Bett steht eine große Zinkbadewanne, und davor liegt ein Stück gelber Seife.«

»Lieber Himmel, bist du bis in sein Schlafzimmer vorgedrungen?«

»Sei nicht idiotisch. Die Tür war auf.«

»Und trägt er den Hut, während er klimpert?«

»Nicht, wenn er am Klavier sitzt. Aber es ist nicht fair, ihn auszulachen. Es ist sein Lebensinhalt. Die meisten von uns haben einen. Du schuftest wie ein Sklave, um diese Farm in Ordnung zu bringen, und träumst alle möglichen Träume über ihre Zukunft. Wir haben alle unsere Wünsche, über die wir nicht reden, und das sind die Dinge, auf die es ankommt.«

»Was sind deine, altes Mädchen?«

Einen Augenblick lang sah sie traurig aus. »Es war einmal die Malerei. Jahrelang dachte ich, ich wäre eine gute Künstlerin – aber das ist jetzt vorbei.« Und dieses Mal sah sie so alt aus, wie sie wirklich war.

»Na ja, ich werde dir dabei helfen, alle geheimen Wünsche in diesem Distrikt zu entdecken. Du hast irgend etwas an dir, was die Menschen zum Sprechen bringt.«

Sie lächelte. »Ein offenes Ohr. Wenn man einmal dreißig ist, entdeckt man, daß das alles ist, was die Welt braucht.«

Zwei Tage später fand sie zu ihrem Erstaunen heraus, daß auch die Butlers ihren Wunschtraum hatten. Sie ging zu ihrem Häuschen hinüber, um Dora zu sagen, daß Donnerstag für ihre Reise nach Hectorville doch nicht paßte, weil Don wollte, daß sie ihm an diesem Tag beim Einteilen der Schafe half. Don, sagte sie, würde immer arbeitswütiger. Sie hoffte, daß seine ›geheimen Träume‹ sich nicht als zu anstrengend erweisen würden ...

Dann lächelte sie. Nur bis ihm irgendein attraktives Mädchen über den Weg lief. Das ließ sie an die Melker denken; wie war das Mädchen? Sie hatte ihr Häuschen zweimal besucht, aber niemanden angetroffen. Sie hätte dieses Mädchen gerne kennengelernt. Mrs. Hansard hatte amüsiert von dem Paar erzählt.

»Der Junge ist ausgesprochen schöngeistig und überhaupt nicht praktisch. Thea macht die Arbeit, während er von den Büchern träumt, die er einmal schreiben wird. Warum sie hergekommen sind? Ich glaube eigentlich, weil er bei allem anderen versagt hat. Zumindest kann Thea hier auf ihn aufpassen. Oh, er ist ein sehr netter Bursche und tut eigentlich nie etwas Böses. Er sieht ausgesprochen gut aus und ist attraktiv, das ist keine Untugend, und wahrscheinlich hat er eine echte Begabung. Aber als Melker ist er wirklich ungeeignet. Wir mögen die beiden, aber wir hätten sie nicht behalten können, wäre Thea nicht eine so fähige Person.«

Es klang so, als würde das Mädchen mehr ihr gefallen als Don, dachte Tessa. Er würde wohl eher auf Sara Hansard mit ihren langen blonden Haaren und ihren Miniröcken fliegen. Das war eigentlich schade, wenn er jemals eine passende Frau finden wollte.

Diesmal ging sie durch das hintere Tor, das zu den Weiden führte, die die Butlers behalten hatten. Hinter dem Haus befand sich ein überraschend gut gepflegter Gemüsegarten. Auf den Weiden graste ein sonderbares Sortiment von Tieren. Eine Jersey-Kuh mit einem Kalb kam, um Tessa zu beschnuppern; sie diente offensichtlich sowohl als Haustier wie als Milchversorgung. Weiter gab es dort ein Dutzend Schafe aller Altersstufen, vom kleinen Lämmchen des Vorjahres bis zu einem alten, häßlichen Schaf. Eine fünfzehn Monate alte Färse gab ihr einen spielerischen Schubs, und ein paar alte Pferde beobachteten sie mit klugen, versunkenen Blicken durch den Zaun. Die Butlers mußten alle ihre Tiere am Leben gelassen haben und betrauerten sie dann wahrscheinlich bitterlich, wenn sie starben.

Als Tessa zur Hintertür kam, hörte sie drinnen ein stetiges Klappern. Es verstummte, und sie hörte Doras Stimme: »Glaubst du nicht, Liebling, daß wir genug Picknicks abgehalten haben?

Weißt du, drei in einer Woche ...« Und jetzt die verärgerte Stimme ihres Mannes: »Was soll ich denn sonst mit den kleinen Teufeln tun?«

Das klang sehr geheimnisvoll. Was für Picknicks und was für kleine Teufel? Tessa klopfte laut, und Dora öffnete ihr die Tür. Sie zögerte einen Augenblick und sagte dann: »Kommen Sie herein. Sie werden George nicht stören.«

Auf dem Tisch stand eine altmodische Schreibmaschine; das erklärte das Klappern. Aber warum picknickten die kleinen Teufel ständig? George sah verlegen aus, als er sich vom Tisch erhob. Vor ihm lag ein Stapel Papier, und sein graues Haar stand wirr in alle Richtungen ab.

Dora sagte: »Wir arbeiten an Georges kleiner Geschichte. Wir wollen es Tessa erzählen, nicht wahr? Sie wird es niemandem sagen, und vielleicht hat sie ein paar Einfälle. Ja, George schreibt.«

Er brummte einen Protest. »Verdammte Schreiberei. Man kann das kaum Schreiben nennen«, und Dora unterbrach ihn schnell: »Sehen Sie, es ärgert ihn so sehr, Charmian de Tours zu sein.«

Tessa sagte hilflos: »Tut mir leid, aber – *Charmian de Tours*? Ich fürchte, daß ich nicht verstehe, was Sie meinen.«

George sah erleichtert aus, und Dora triumphierte. »Siehst du, George, was habe ich dir gesagt! Viele Leute wissen es nicht. Sie haben noch nicht einmal von Charmian gehört.«

»Gott sei Dank«, erwiderte er heftig.

»Weißt du, Liebling, du steigerst dich wirklich in die Sache mit Charmian hinein. Ich weiß gar nicht warum, denn die Kinder lieben sie, und sie hat in diesen Zeiten des Verbrechens und der Gewalttätigkeit einen guten Einfluß. Du darfst dich nicht vor Tessa genieren. Sie wäre der letzte Mensch, der etwas ausplaudert. Sie wird es nur ihrem Bruder erzählen.«

»Das werde ich nicht tun, wenn Sie es nicht möchten. Aber erzählen Sie mir, wie es passiert ist. George ist der letzte, den ich verdächtigt hätte, daß er – ja, daß er Kindergeschichten schreibt.«

»Ich weiß. Wirklich der letzte ... Tja, das begann vor fünf Jahren, als wir sehr knapp mit Geld waren und die gute alte Minerva, das Zugpferd, einen Tierarzt brauchte. Damals waren wir noch nicht in dem wunderschönen Alter, in dem die Regierung uns nur deshalb Geschenke gibt, weil wir alt sind. Eines Tages sahen wir eine Annonce, mit der Kindergeschichten gesucht wurden. Man hatte einen Preis ausgesetzt. George sagte so zum Scherz: ›Wie wäre es, wenn wir es probierten?‹ – und dann war es passiert.«

Tessa nickte voller Mitgefühl. Sie wußte alles über diese Scherze, die sich in ein Bumerang verwandelten und zurückschossen.

»Nicht daß wir uns beklagen würden«, fuhr Dora fort. »Es war eine so große Hilfe, als die Tiere älter wurden und es noch keine ›Soziale Sicherheit‹ gab, um die Rechnungen der Tierärzte zu bezahlen. Natürlich hat George den Preis nicht gewonnen, aber seine Geschichte wurde angenommen. Sie handelte von Kindern, die in den Busch gingen, weil sie sich zu Hause unglücklich fühlten. Sehen Sie, ihr Vater hatte wieder geheiratet.«

»Zu dumm, um in Worte gefaßt zu werden«, brummte George. »Aber es hat uns hundert Pfund gebracht.«

Dora fuhr mit der Geschichte fort. »Wir haben eine Schreibmaschine gekauft, und George hat versucht, mit ihr umzugehen. Aber er war so langsam – wie eine Henne, die in einem Blechteller herumpickt. So übernahm ich diese Arbeit, und jetzt geht es ganz flott. Natürlich mit vielen Fehlern, aber man kann ja nicht alles haben, nicht wahr? Jedenfalls wurde jedes Jahr eine Geschichte von George genommen, und das alles hilft, denn obwohl wir jetzt die Altersrente haben – ich vergesse immer, daß sie ›Soziale Sicherheit‹ heißt –, ist sie eigentlich nicht für die Tiere bestimmt, oder?«

»Alles ein bißchen komisch«, fügte George hinzu. »Denn wir haben nie Kinder gehabt, und wir wissen eigentlich auch nicht viel über sie. Ich mag sie nicht einmal. Aber Dora hilft mir, und gemeinsam klappt es.«

»Und ein Kritiker sagte, daß Charmian das Herz eines kleinen Kindes habe.« Dora lachte. Charmian blickte finster drein und sah aus wie Herodes.

»Verdammter Idiot. Es ist nur ein Segen, daß Dora mich davon abhält, mich zu oft zu wiederholen. Komisch, wie man sich wiederholen kann, auch wenn man die Szenerie und die Kinder ändert. Meine Schwierigkeit ist, daß ich die kleinen Ungeheuer zu oft auf Picknicks schicke.«

»Warum Picknicks?«

»Es ist so schwer, etwas anderes zu finden, was sie tun könnten. Zum Teufel mit ihnen ... Dora, gib mir eine Tasse Tee. Es ermüdet mich sogar, wenn ich nur von ihnen spreche.«

»Wirklich, Liebling«, sagte Dora, indem sie eine braune Steingut-Teekanne von ungewissem Alter zur Hand nahm, in der sie ihren guten Tee braute. »Du bist nur verlegen, weil Tessa von ihnen erfahren hat. Aber jeder hat sein Geheimnis, nicht wahr, Tessa?«

»Natürlich hat das jeder. Ich weiß, daß ich mein eigenes habe.«

Dora lächelte weise. »Das habe ich mir gedacht, als ich ein so hübsches und kluges Mädchen in diesem alten Haus sah. Aber machen Sie sich nichts daraus. Wie Sie schon sagten, wir haben alle unser Geheimnis. Sehen Sie sich Alfs Klavier an und Cyril Summers mit seinen Gedichten. Nicht, daß das wirklich ein Geheimnis wäre. Er redet gerne davon.«

»Ist das der Melkjunge? Irgendwie scheinen Gedichte nicht zu Kühen zu passen ... Sagten Sie Cyril? Cyril und Thea ... Lieber Himmel, wie großartig das klingt.«

»Thea nicht. Aber Cyril geht etwas in diese Richtung. Sehr intellektuell. Der arme Junge verabscheut Kühe, aber sie müssen ihren Unterhalt verdienen, und er kann immer noch seine Träume träumen, während er melkt.«

Tessa lachte. Das schien ihr nicht so ganz einfach. Dora fuhr gelassen fort: »Aber er ist ein lieber Junge und sieht so gut aus. Ich glaube, wie Shelley oder vielleicht wie Rupert Brooke. Aber als er bei seinem Universitätsexamen durchfiel, hat er den Mut verloren. Er verläßt sich ganz auf Thea, so hat sie ihn hierhergebracht, und sie macht auch die meiste Arbeit, und abends hat er Zeit, seine kleinen Verse zu schreiben.«

Tessa dachte darüber nach, wie der junge Dichter auf diese Beschreibung seiner Arbeit wohl reagieren würde, aber sie sagte nur: »Na ja, ich wünschte, sie würden nicht soviel arbeiten. Ich möchte sie gerne kennenlernen.«

Der Ausflug mit Dora nach Hectorville war ein Erfolg. Dora war ganz aufgeregt angesichts des bevorstehenden Ereignisses. »Herrlich zu wissen, daß wir vor der Dunkelheit nach Hause zurückkommen. Wenn wir mit Friday fahren, nehme ich immer eine Taschenlampe und ein paar Wolldecken mit.«

»Warum Wolldecken?«

»Für den Fall, daß wir von der Nacht überrascht werden. Das weiß man bei Friday nie. Trotzdem, wir sind ihm sehr dankbar, daß er uns mitnimmt.«

Sie fuhren die Straße hinauf, und plötzlich rief Dora: »Dort ist Mrs. Ellison in ihrem Garten. Ich glaube, wir sollten anhalten und Sie mit ihr bekannt machen. Sie hat bestimmt auf uns gewartet, wissen Sie.«

Offensichtlich hatte die Telefonleitung das Ihre dazu beigetragen.

Sie hielten am Tor, und Mrs. Butler murmelte hastig: »Vielleicht hätte ich Sie warnen sollen, daß die Ellisons nie miteinander sprechen. Sie haben sich wohl nichts mehr zu sagen.«

Tessa war bestürzt. Kein Wunder, daß die Ellisons ›etwas komisch‹ waren. Als sie ins Haus gingen, wünschte sie, sie hätten nicht gehalten, und nun hoffte sie, daß der Mann draußen auf der Farm sein würde.

Vera Ellison war ungefähr fünfzig, klein und ziemlich unscheinbar. Ihr Mann, der sofort ins Zimmer kam und sie mit ziemlich übertriebener Herzlichkeit begrüßte, sah im Gegensatz dazu äußerst gut aus. Er war hochgewachsen, hatte einen edlen Kopf und schönes weißes Haar. Tessa stellte sich insgeheim auf die Seite der Frau. Es war hart, so gewöhnlich zu sein und einen Mann geheiratet zu haben, der so gut aussah – und das auch wußte.

Er war nicht nur gutaussehend, sondern auch charmant. Er hieß Tessa formvollendet willkommen, und seine Frau unterbrach ihn schnell, um zu sagen: »Ich würde gerne einmal über die Weiden gehen, um Sie zu besuchen. Ich habe das Auto nicht zur Verfügung, und so bin ich sehr an das Haus gebunden.« Und ihr Mund bekam einen harten Zug, als sie nicht ihren Mann, sondern eine Stelle, fünfzig Zentimeter über seinem Kopf, ansah. Offensichtlich war er mit seinem Wagen sehr egoistisch.

Er überhörte das, war übertrieben herzlich zu Tessa und sagte ihr, er habe gehört, wie sehr Don die Farm schon jetzt verbessert habe. »Und ich hörte auch von seinem Glück, eine so attraktive Helferin zu haben. Dieses Glück habe ich nie gehabt. Ich bewundere Frauen mit Geist, die Schwierigkeiten nicht scheuen.«

Das war unangenehm, und Tessa fragte die Ellisons hastig über ihre eigene Farm aus. Es wäre großartig, sagte er, daß es ihnen heute noch gelinge, Hilfe von den Maoris zu bekommen, wenn es notwendig sei. Offensichtlich ging die Farm gut, denn es gehörte eine ganze Menge Vieh dazu, und die Ellisons schienen nicht schlecht zu leben. Was Tessa hier, wie auch schon in Mrs. Butlers Haus, auffiel, waren die vielen schönen Dinge. Ihr Künstlerauge verweilte vor allem auf einer Gruppe herrlicher Miniaturen, die an der Wand hingen. Aber es waren dort auch andere Dinge, wertvolle Kupfergegenstände und Porzellan und etwas altes Messing. Als Tessa darauf hinwies, betonte Mrs. Ellison, daß es, wenn man in einer kulturellen Wüste lebe, zur Abwechslung einmal herrlich wäre, jemanden zu finden, der Sinn für Schönheit hatte.

Bei diesen Worten grinste der unkultivierte Mann spöttisch und sagte, daß es geradezu rührend sei, wie sich die Leute selbst für kultiviert und intellektuell hielten, und Dora Butler stand eilig auf, um zu gehen.

»Lieber Himmel!« stöhnte Tessa, als sie wieder auf der Straße standen. »Das war unangenehm. Wie albern können die Menschen sein!«

»Sehr albern, wenn sie zu lange im Busch gelebt haben. Das muß jetzt drei Jahre lang so gehen. Seit ihr Sohn sie verlassen hat, um zu heiraten. Das Komische ist nur, daß jeder von den beiden ohne den anderen sich zu Tode langweilen würde. Es ist ein dummes Spiel.«

»Sehr unangenehm für Fremde. Wie hat das angefangen?«

»Wer soll das wissen? Natürlich sah Malcolm schon immer sehr gut aus und war attraktiv, aber ich bin sicher, daß er treu ist. Er macht sich nur einen Spaß daraus, durch Charme zu glänzen. Ich weiß nur, daß sich der Streit zuspitzte, als Vera seinen Lieblingsmantel verschenkte.«

Tessa brach in Gelächter aus. »Das ist ja heller Wahnsinn ... Na ja, der Busch scheint einige Menschen wirklich unterzukriegen. Was für ein herrlicher Garten, zu dem wir jetzt kommen! Wohnen dort die netten Maoris?«

»Ja, und da ist die liebe Mrs. Heaven, die in ihrem Garten arbeitet. Sie hat bestimmt schon auf uns gewartet. Bitte halten Sie an, um sie kennenzulernen.«

Tessa gehorchte, hoffte jedoch, daß sie nicht an jedem Haus auf dem Weg nach Hectorville würde halten müssen. Mrs. Heaven kam zum Wagen hinaus, strahlte über das ganze Gesicht und streckte eine breite, braune Hand aus. »Ich habe Sie einmal an der Ecke gesehen, als ich mit Friday vorbeifuhr«, sagte sie in ihrem hübschen, vorsichtigen Englisch. »Friday mag Sie sehr gerne. Er sagt, daß Sie eine nette kleine Frau sind und immer lachen.«

»Lieber Himmel, ich fürchte, das klingt ziemlich albern. Aber ich mag ihn auch gerne ... Oh, Mrs. Heaven, was für herrliche Blumen hier blühen! Wie bringen Sie es bei all Ihrer Arbeit nur fertig, einen solchen Garten zu haben?«

Mrs. Heaven lächelte und zuckte die Achseln. Sie war eine sehr hübsche Frau und besaß die herrlich goldene Hautfarbe, die für manche Mischlinge typisch ist. »Oh, ich habe viel Zeit. Die meisten der Kinder gehen jetzt zur Schule. Der Bus kommt ihretwegen extra auf den Hügel. Es sind nur noch vier zu Hause, und sie spielen ganz zufrieden. Ich arbeite gerne. Es ist am besten, sehr früh aufzustehen, dann ist das Melken schon erledigt, bevor ich das Frühstück mache. Dann schicke ich sie in die Schule und habe einen herrlichen, langen Tag, um die ganze Hausarbeit zu machen und in den Garten hinauszugehen. Ich bin sehr stark. Eine große, kräftige Frau mit vielen Muskeln«, und bei diesen Worten lachte sie fröhlich.

»Kommen Sie mich einmal besuchen, wenn Sie Zeit haben«, sagte Tessa gefesselt von soviel Freundlichkeit und Fröhlichkeit.

»Ich werde kommen. Und Sie müssen uns besuchen, wann immer Sie Lust dazu haben. Ich bin stets hier, außer wenn ich einmal im Monat mit Friday in die Stadt fahre, um das Kindergeld abzuholen. Das ist eine sehr gute Sache, diese Kinderbeihilfe, finden Sie nicht?«

Alles war eine gute Sache; alles war eitel Freude und Sonnenschein. Tessa verließ dieses glückliche Heim und den Garten mit Bedauern. »Welch ein Unterschied zu den Ellisons!«

Seien Sie nicht so streng mit Malcolm und Vera. Ich bin sicher, wenn etwas Schreckliches passierte – ein Erdbeben vielleicht oder eine Sturmflut –, aber so etwas passiert hier oben natürlich nicht«, sagte Dora traurig und sah sich um, um eine andere Katastrophe zu ersinnen. »Ich meine nur, wenn Malcolm eine Lungenentzündung hätte oder falls Vera sich ein Bein brechen würde ... nicht daß man es ihnen wünschen würde, aber das Unglück bringt die Menschen zusammen. Der Busch ist so wenig abwechslungsreich, und Dora kommt so selten heraus. Aus jeder Mücke wird hier ein Elefant.«

Jetzt kamen sie an den Anfang der Buschstraße, und Tessa war erleichtert, als sie herausfand, daß ihre gesellschaftlichen Verpflichtungen hier aufhörten. Offensichtlich waren die wenigen Familien an der einsamen Landstraße eine Gemeinschaft für sich. Dora kannte die Menschen an der Hauptverkehrsstraße nicht sehr gut, und sie fuhren schnell hinunter nach Hectorville, Dieses Land war zivilisierter und reicher, und die Farmer nahmen die Landwirtschaft ernst. Aber das Dorf selbst war nicht eindrucksvoll; wie Alf gesagt hatte, bestand es aus einem Postamt und einem Laden, einer Werkstatt, einem Dutzend Hütten, einer Schule und noch etlichen Häusern. Sie kamen zu einem schäbigen Gebäude, von dem Dora sagte, daß es eine Pension sei. Wie Don gehört hatte, wurde hier heimlich gebrannter Schnaps ausgeschenkt. Der Laden war ein großer Anbau, und dahinter befand sich offensichtlich die Wohnung des Kaufmanns.

Jake kam heraus, um sie zu begrüßen. Er war ein Schrank von einem Mann, der gute Laune ausstrahlte und dessen Nase nur allzu deutlich zeigte, wo seine Schwäche lag. Seine Sprache war langsam und ausdrucksvoll, und sein Willkommen für Tessa war ein Meisterstück an Beredsamkeit. Von dem Laden war sie begeistert; er war der Inbegriff dessen, was sie vom Leben im Hinterland gehört hatte – unordentlich und vom Boden bis zur Decke mit eigenartigen Waren angefüllt. Jake lächelte, als sie das sagte, und rieb sich die Hände. »Alles von der Wiege bis zum Sarg, Miss Nelson – wenn man die Sachen finden kann.«

Das war wohl die Schwierigkeit, obwohl Jake instinktiv zu wissen schien, wo er suchen mußte. Nichts war beschriftet, aber er holte sofort die Gummihandschuhe hervor, die sie verlangte, den Traubenzucker, der für Doras Lieblinge so wichtig war, die Gummistiefel, die sie für Malcolm Ellison mitbringen sollten, und die Drahtzange, die Don brauchte.

Das Postamt war einfach ein Kämmerchen, das vom Laden abgeteilt und mit dem großartigen Schild POSTAMT IHRER MAJESTÄT versehen war. Hier befand sich nichts am richtigen Platz; die Telegrammformulare waren unter einem Stapel von Telefonbüchern versteckt; am Schalter war nicht ein Kugelschreiber festgebunden, sondern ein Gegenstand mit einem Holzgriff und einer rostigen Feder, und das Tintenfaß war ausgetrocknet. Jake zeigte stolz auf eine Reihe von Fächern an der Wand, welche die Buchstaben des Alphabets trugen, und erklärte, daß die Post, sobald sie ankam, sortiert wurde und jeweils in das richtige Fach kam. Er nahm dann Tessas Briefe aus einem Fach, das mit W gekennzeichnet war, und Doras aus einem, das den Buchstaben E trug. Der Boden war mit amtlichen Meldungen bedeckt, die unbekümmert ignoriert wurden, und Jake grub die Briefmarken, die Tessa haben wollte, aus der Schublade einer alten Kommode in der Ecke aus.

Er war sehr geschwätzig, und sie unterhielten sich längere Zeit. Er hatte offensichtlich eine Schwäche für Dora, und Tessa war sehr darauf bedacht, einen, wie ihre Freundin sagte, ›guten ersten Eindruck‹ zu machen. Jake hatte ausgesprochen eigene kaufmännische Prinzipien, trug ihre Einkaufsliste in ein altes Schulheft ein und flehte sie an, nicht bar zu zahlen.

»Ich habe meine eigenen Methoden«, erklärte er stolz. »Die Rechnungen kommen genau monatlich, und sie sind sorgfältig ausgestellt.« Tessa stimmte ihm ernst zu und verzichtete darauf zu erwähnen, daß sie in der einzigen monatlichen Rechnung, die sie bisher erhalten hatte, sieben Fehler gefunden hatte. Vier zu Jakes Gunsten und drei zu ihren eigenen.

Als sie das Dora auf dem Nachhauseweg erzählte, fragte diese: »Und haben Sie sich beklagt?«

»O nein. Ich wollte nicht kleinlich sein, und es hat sich ohnehin fast ausgeglichen.«

Dora lächelte. »Das ist die beste Einstellung. Jake will nie jemanden absichtlich betrügen, und er ist sehr empfindlich, was seine Fehler betrifft. Sie sind ihm mit der richtigen Einstellung begegnet. Und wenn ich gerade von Einstellung spreche«, fuhr sie in ihrer inkonsequenten Art fort, »so muß man ein Auge zudrücken. Er ist ein einsamer Mann, und wir haben alle unsere eigenen Auffassungen vom Vergnügen.«

Tessa fand es schade, daß der Postmeister auf diese Art und Weise sein Leben genoß, aber sie dachte daran, daß Alf wohl recht gehabt hatte, wenn er sagte, daß die Menschen im Hinterland manchmal etwas komisch wären. Als sie Don bei ihrer Rückkehr davon erzählte, sagte er unfreundlich: »Kein Wunder, daß du so glücklich aussiehst. Du bist an den richtigen Ort gekommen. Hier bist du in deinem Element.«

»Na ja, ich habe dir doch gesagt, daß ich von allem wegwollte.«

Er sah sie neckend an. »Um eine andere Rolle zu spielen? Pionier sein und all das. Aber ich bin froh, daß du es getan hast. – Auf daß es lange währe!«

5

Als sie spät im Februar auf die Farm kamen, hatten Tessa und Don geglaubt, ein ideales Klima gefunden zu haben. Keine drückende Hitze wie in der Ebene, keine ausgedörrten braunen Weiden und Gräser wie nach der Trockenheit des Sommers. Der Herbst ist eine herrliche Jahreszeit im hohen Buschland. Natürlich gibt es nur das immer gleiche Grün, und man vermißt die schönen Herbsttönungen der stärker bewachsenen Landschaften. Den Zauber der goldenen Bäume und Blätter, die dunkelrot werden, bevor sie abfallen, gibt es nicht. Aber die Luft ist frisch, und wenn die Tage kürzer werden, sind sie doch hell und klar. Bei den reichlichen Regenfällen bleiben die Weiden noch grün, sind nicht von der Trockenheit des Sommers ausgebrannt und auch nicht von dem düsteren Grau gefärbt, das Frost und beißende Winde später mit sich bringen.

Tessa schwelgte in der Schönheit der Natur, und mit ihrer Freude kam unvermeidlich der Wunsch zu malen. Eine Zeitlang schob sie ihn von sich. Sie war mit all dem fertig. Die einzige Arbeit, die ihr lag, war heute nicht mehr willkommen, und sie würde sich nie in dem ultramodernen Stil versuchen, den sie so schrecklich karikiert hatte. Aber jetzt wurde die Versuchung zu stark, und sie baute ihre Staffelei in dem unbenutzten freien Schlafzimmer auf, schloß die Tür sorgfältig hinter sich ab, obwohl gar niemand da war, um einzudringen.

Später kundschaftete sie das Land über Hectorville hinaus aus bis nach Tana, der Siedlung an der Küste, wo es zweimal in der Woche Filme gab, ein Dutzend Läden und weite Badestrände. Sie wanderte den Strand entlang und folgte einem Graspfad, der zu den Sandhügeln hinaufführte, die den ruhigen Inlandhafen von der Brandung der Westküste trennten. Hier faszinierten sie die Farben – die Lupinen mit ihren Blüten, die im Abendlicht golden wurden, das so lebhafte Blau der ruhigen See darunter. Zu Fuß kletterte sie auf die andere Seite der Sandhügel und beobachtete den wilden Ozean, die Brecher, die an die Felsen schlugen, und den schwarzen Sand.

Natürlich kehrte sie zurück, nahm Leinwand und Farben mit,

saß zwischen den Lupinen verborgen und war froh über die Abgeschlossenheit, die der ganze Strand jetzt bot, nachdem die Sommergäste abgereist waren. Nur ein Haus schien ständig bewohnt zu sein; ein alter, geräumiger Bungalow mit vielen Fenstern, der in einem wilden Garten stand. Sie sah, wie Rauch aus dem Kamin quoll, und zog sich noch weiter in die Lupinen zurück.

Sie hatte Zeit genug für diese Ausflüge und für ein bißchen heimliche Malerei; als sie später zurückblickte, nannte sie dies ihre ›Pause der Muße‹. Zuerst war sie sehr damit beschäftigt gewesen, das Haus etwas in Ordnung zu bringen, immer auf Dons Wink und Ruf gefaßt. Sie war von der Spüle zu den Schafweiden gestürzt und hatte versucht, wie die meisten Frauen auf dem Lande, die Pflichten draußen mit denen im Hause zu verbinden. Dabei war sie immer zu dem Schluß gekommen, daß das Haus darunter zu leiden hatte.

Das bekümmerte sie nun nicht mehr. Die Küche war fertig, und dort nahmen sie ihre Mahlzeiten ein. Der Eßzimmerteppich lag nun auch an seinem Platz, und Bücher und Bilder befanden sich an Ort und Stelle. Tessa sprach noch immer begeistert vom Anstreichen und vom Tapezieren, aber sie wußte, daß all das warten mußte, bis die nassen Tage kamen und der Winter Don vielleicht daran erinnern würde, daß er eine Schwester und ein Haus neben der Farm hatte. Regelmäßig verbrachte sie eine halbe Stunde mit Alf, seinem gelben Kater und seinem Klavier und beobachtete vergnügt, wie er sich über seine langsamen, aber stetigen Fortschritte freute.

Im April brauchte Don ihre Hilfe nicht so sehr; er war damit beschäftigt, den Grenzzaun zu reparieren, und arbeitete zusammen mit Tom Hansard und dem jungen Melker.

»Aber dieser hübsche Junge ist nicht von großem Nutzen«, sagte Don geringschätzig. »Tut immer das Falsche. Weiß nicht, wie man einen Pfahl einschlägt, und ist nicht sehr darauf aus, den schweren Boden umzugraben. Ich verstehe gar nicht, wie Tom solche Geduld mit ihm haben kann.«

»Aber ich dachte, die Melker kümmern sich nur um ihre Kühe

und tun nicht solche Arbeiten wie Einzäunen und Schafe hüten?«

»Dieses Paar wird für Hilfeleistungen auf der Farm extra bezahlt, wenn die Milch der Kühe versiegt ist.«

»Mrs. Hansard sagt, die Schwester wäre die praktischere von beiden, obwohl der Junge sehr begabt und charmant ist.«

»Von dem Charme habe ich nichts gemerkt, und seine Begabung bezieht sich nicht auf harte Arbeit. Die Schwester habe ich nicht gesehen. Beim Einzäunen wäre eine Frau ohnehin keine große Hilfe.«

Im Moment schien auch Tessa ihm keine große Hilfe zu sein, aber Don war immer froh, zu einer Mahlzeit und einem offenen Ohr zurückzukehren, und Tessa sorgte für beides. Sie hatte mit dem Herd einen Waffenstillstand geschlossen, obwohl das keine kulinarischen Kunstwerke einschloß. Zwar hielt sie sich streng vom Kuchenbacken zurück, begnügte sich damit, Kekse zu kaufen und einen Kuchen, den Jake ›den besten Steinkuchen‹ nannte, da das ungewaschene Obst darauf knirschte und der Boden wie ein Fels beschaffen war, aber es gelang ihr, vernünftige Mahlzeiten zu produzieren. Was sollte sie also mit ihrer Zeit tun, fragte sie in Selbstverteidigung, wenn sie sich nicht mit ›ein bißchen Malerei beschäftigte‹ – eine Ausdrucksweise, die sie immer verhöhnt hatte.

Und so malte sie ein paar Aquarelle, die ihr gefielen, aber von den meisten ihrer Kritiker gering eingeschätzt worden wären. Zwei der Skizzen schickte sie zu einem Agenten, und sie verkauften sich gut und schnell. Aber er schrieb verächtlich: »Ich sehe, daß Sie sich wieder Ihrem früheren Stil zugekehrt haben. Natürlich gibt es immer so etwas wie einen Markt für gegenständliche Kunst, aber er bringt Sie letzten Endes nicht weiter. Ich lege einen Artikel bei, der die Auffassung eines Kritikers enthält.« In dem Artikel hieß es: *Thérèse Nelson, von der wir nach ihrem sehr erfolgreichen Bild ›Träume‹ Besseres erwarteten, hat einen Rückfall erlitten und sich wieder ihrem früheren Stil zugewandt. Ein paar Skizzen, eine von Sanddünen und eine vom Busch, zeigen, daß das kurze Aufflackern eines glanzvollen Talentes wieder erloschen ist. Thérèse ist erneut Thérèse.*

Tessa lachte, als sie das las, aber sie ärgerte sich etwas über den gönnerhaften Ton und die Verwendung ihres Vornamens, den sie nicht mochte. Sie weigerte sich jedoch, entmutigt zu sein; der ›sogenannte Markt‹ würde eine Hilfe sein, denn sie konnte schon jetzt sehen, daß die Finanzierung auf einer unterentwikkelten Farm in diesem Jahr der niedrigen Preise schwierig sein würde. Aber abgesehen vom Geld war es gut, sich in der alten Art zu vergnügen und ihre Freizeit mit der Arbeit, die sie liebte, auszufüllen.

Aber allzu bald war die freie Zeit zu Ende. Der April ging vorüber, und als es Mitte Mai war, änderte sich die Landschaft plötzlich. Die herrlichen, goldenen Tage waren vorbei; böse Stürme kamen vom Südwesten auf, wechselten mit rauhen Frösten, und die Weiden veränderten sich von saftigem Grün in trauriges Grau. Don machte sich Sorgen.

»Ist es hier oben immer so?« fragte er Tom Hansard. »Es ist noch nicht Juni, und schon ist es mit dem Wachstum zu Ende. Wie viele Monate dauert der Winter in diesen Hügeln?«

»Es ist nicht immer ganz so schlimm wie dieses Jahr, aber eigentlich ziemlich dieselbe Geschichte. Das Gras beginnt hier erst Ende August zu wachsen, und bis dahin ist es eine Geduldsprobe. Es macht die Sorge um die Lämmer manchmal zu einem Alptraum.«

Schon jetzt war Don dankbar für die Büsche, die noch auf den Weiden geblieben waren. Dort suchten die Rinder in kalten Nächten Schutz und fanden zwischen Farnen und zweiter Saat etwas Futter. Er war froh gewesen, überschüssiges Heu von Hansard kaufen zu können. Die Schafe schienen den Winter besser auszuhalten, obwohl es schon Schwierigkeiten mit gebärenden Mutterschafen gegeben hatte.

»Vier habe ich heute auf dem Rücken gefunden, alle waren sie hochträchtig«, erzählte er seiner Schwester an diesem Abend. »Ich brauche mehr als einen halben Tag, um auf sie aufzupassen. Ich weiß nicht, wann Hansard und ich mit diesem Zaun fertig werden sollen.«

Gehorsam nahm Tessa ihr Stichwort auf und fragte: »Möchtest du, daß ich einige der leichteren Weiden übernehme? Ich kann gefallene Mutterschafe auch wieder auf die Beine bringen – zumindest hoffe ich es.«

Er stürzte sich auf ihr Angebot, und danach änderte sich ihr Tageslauf, und es blieb nur noch wenig Zeit für die Malerei. Tessa hastete durch ihre Hausarbeit und ritt auf ihrem ruhigen alten Pony weg, das Don für sie gekauft hatte, um den Rundgang auf den nächsten Weiden zu machen. Dies reduzierte Dons Schafehüten auf fast die Hälfte und beschränkte die Freizeit seiner Schwester auf ein Minimum. An schönen Tagen wickelte sie sich in einen alten Wintermantel; an nassen ging sie in Hosen und Ölzeug hinaus. An einem stürmischen Tag früh im Juni, als sie sich gerade damit abmühte, ein schweres Mutterschaf hochzuhieven, das sich entschlossen zu haben schien, auf dem Rücken zu sterben, hörte sie ein Rufen von der nächsten Weide. Dort sah sie ein Mädchen, dessen Aufzug dem ihren glich. Sie hatte den Südwester tief ins Gesicht gezogen; ein zottiges Pony graste mit schleifenden Zügeln nicht weit entfernt von ihr. Im Augenblick saß das Mädchen in sonderbarer Weise auf dem breiten, festen Rücken eines alten Mutterschafes, und mit ihren langen Beinen trieb sie ihr Opfer unerbittlich den Hügel hinauf. Sie rief Tessa mit einer leichten, klaren Stimme an. »Hallo. Haben Sie Schwierigkeiten? Es ist zu schwer für Sie. Warten Sie ein bißchen, bis ich dieses alte Mädchen wieder in seinem Gehege habe, und dann werde ich Ihnen helfen.«

Es war eine angenehme Stimme und ein angenehmes, freundliches Lächeln. Auch das, was Tessa von dem Gesicht sehen konnte, war attraktiv. Blaue Augen und schwarze Haarsträhnen unter dem Südwester und eine zarte Haut, die jetzt vor heftiger Anstrengung gerötet war. Tessa brüllte zurück: »Vielen Dank. Ich bin in diesem Spiel nicht sehr gut. Wahrscheinlich zu alt. Ich kann das Biest nicht dazu bringen, auf den Beinen zu bleiben.«

In diesem Augenblick schien der Schützling des Mädchens zu neuem Leben zu erwachen, arbeitete sich den Hang hinauf und hatte offensichtlich seine Glieder wieder unter Kontrolle. Das Mädchen rutschte hinunter, beobachtete das Schaf ein paar Minuten, öffnete dann das Ranchgatter, das Don und Hansard neulich zwischen ihren beiden Besitztümern gebaut hatten, und sagte: »Ich glaube, es hat es geschafft. Ich habe es Ewigkeiten bergauf und bergab getrieben. Jetzt werde ich diesen armen Teufel hier hochziehen.«

Sie war groß und sehr schlank, hatte aber überraschende Kräfte. Gemeinsam zogen und schoben sie und brachten jetzt das widerwillige Mutterschaf auf die Füße. Ärgerlich blickte es sich nach seinen Rettern um und wandte sich dann, bevor sie es aufhalten konnten, bedächtig hügelabwärts, torkelte schnell davon und fiel wieder hin. Das Mädchen sagte ohne jegliche Hemmungen: »Verflucht noch mal«, rannte hinterher und zog es wieder herauf.

»Wir müssen es mit dem Gesicht nach oben kehren; sobald sie nach unten starten, stürzen sie schwer. Meine Beine sind länger als Ihre. Ich werde das alberne Vieh reiten«, und mit diesen Worten setzte sie sich rittlings auf das Schaf und lenkte es mit fester Hand hügelaufwärts, während Tessa bewundernd neben den beiden hertrottete.

»Es wird gleich in Ordnung sein«, sagte das Mädchen einen Augenblick zu früh, denn mit der ganzen unliebsamen Launenhaftigkeit der Schafe drehte sich das Mutterschaf um und stürzte sich hügelabwärts. Auch die langen Beine waren keine ausreichende Bremse, das Mutterschaf bekam plötzlich das Übergewicht und warf seine Reiterin noch weiter den Abhang hinunter. Sie stand lachend auf und sagte: »Gottseidank, einem Fußtritt bin ich noch knapp entgangen . . . Übrigens, ich bin Thea Summers, und Sie sind Miss Nelson. Ich wollte sie schrecklich gerne kennenlernen, aber nicht so.« Und dabei zeigte sie auf das Schaf, das auf dem Bauch lag, mit angeschwollenen Seiten und offensichtlich am Ende seiner Kraft.

»Ja, ich bin Tessa Nelson, und ich habe ebenfalls versucht, Sie kennenzulernen. Ich war zweimal vor Ihrem Haus, aber es war niemand dort.«

»Ja? Das wußte ich nicht. Wir sind ganz selten zu Hause. Es tut mir leid, daß ich Sie verpaßt habe . . . Jetzt komm schon, du altes Biest«, und noch einmal hoben sie das Mutterschaf hoch und trieben es hügelaufwärts. Diesmal hatten sie mehr Erfolg. Thea lenkte es mit sanfter Gewalt, und Tessa stand daneben, bereit, jede Neigung nach unten zu kontrollieren. Als sie es eine Zeitlang geführt hatten, schien es sich von seiner Schlagseite zu erholen, richtete sich auf, warf Tessa aus seinen glotzenden Augen einen kalten Blick zu und entwand sich seiner Reiterin. Als ob überhaupt nichts geschehen wäre, begann es dann zu grasen und sich dabei stetig aufwärts zu bewegen.

Das Mädchen lachte und setzte sich auf einen Klotz. »Wir wollen es ein paar Minuten lang beobachten. Jetzt sollte es gutgehen, aber man weiß nie. Das sind so schrecklich widerspenstige Tiere.«

»Machen Sie das oft?«

»O ja. Mr. Hansard zahlt mir den Lohn eines Schafhirten, wenn die Kühe keine Milch mehr geben. Er ist sehr großzügig, und mir gefällt es – obwohl man sich fragen könnte, warum es mir an einem solchen Tag Spaß macht.«

Sie hockten Seite an Seite auf dem Klotz in Wind und strömendem Regen und plauderten vergnügt, wobei sie ihre Patientin mit kritischer Aufmerksamkeit beobachteten. Alles ging gut, und jetzt sagte Tessa: »Das ist meine letzte Weide, und ich gehe zurück ins Haus; was ist mit Ihnen? Sind Sie auch fast fertig?«

»Für heute morgen, ja.«

»Dann kommen Sie mit mir zurück. Das Haus gleicht zwar, wie üblich, einem Schlachtfeld, aber es wird Ihnen doch nichts ausmachen, oder?«

»Lieber Himmel, nein. Ich bin hinausgegangen, ohne das Frühstücksgeschirr zu spülen oder die Küche zu kehren. Die Hausarbeit zählt auf einer Farm in dieser Jahreszeit nicht. Ich würde sehr gerne kommen«, und als sie dann zu ihren Ponys hinübergingen, sagte sie: »Ich wollte Sie schon seit zwei Monaten besuchen, aber ich hatte etwas Angst vor Ihnen. Irgend jemand sagte, Sie seien schrecklich klug, und schließlich sind wir nur Melker.« Sie lachte. »Das nennt man wohl Snobismus im umgekehrten Sinne.«

»Das würde ich auch sagen. Klug? Was für ein Unsinn. Sie müssen einen Schock bekommen haben, als Sie mich sahen. Sie hatten eine ganz falsche Vorstellung von mir. Ich glaube eigentlich, das ist das Leben, das zu mir paßt . . . Wie ist es bei Ihnen?«

»Genau das richtige für mich. Ich liebe die Landwirtschaft. Natürlich sind die Winter hart, aber alles macht großen Spaß. Ich komme viel besser zurecht als Cyril, der arme Liebling ... Übrigens, haben unsere Eltern uns nicht alberne Namen gegeben?«

»Thea gefällt mir, aber Cyril ist ein kleines Handikap. Klingt schrecklich intellektuell.«

»Na ja«, sagte das Mädchen nachdenklich, »ich glaube, das ist Cyril auch, zumindest sollte er es sein. Er liebt Bücher, und er schreibt gerne, und er beobachtet den Sonnenaufgang, statt die Kühe einzutreiben. Der arme Junge, dieses Leben ist hart für ihn. Ich fürchte, ich habe ihn gegen seinen Willen hineingestoßen – aber wenigstens hat er die Abende für seine Schreiberei frei.«

Tessa erinnerte sich daran, daß Mrs. Hansard gesagt hatte, Cyril habe sich in einigen anderen Arbeiten ohne Erfolg versucht und daß nur seine Schwester ihn hier bei der Stange hielte. Aber welche Fehlschläge er auch erlitten haben mochte, es war offensichtlich, daß seine Schwester ihn bewunderte. So sagte sie nur: »Ja, es bleiben immer noch die Abende«, und dann ritten sie über die aufgeweichten Weiden nach Hause und sprachen von anderen Dingen.

Tessa beobachtete neidisch, wie leicht ihre Begleiterin auf dem Pony saß, wie sie die Gatter ohne Mühe öffnete und wie gekonnt sie mit ihrem Pony umging. Sie sagte: »Ich bin ein schrecklicher Anfänger im Reiten, aber es gelingt mir, auf dem guten alten Tier sitzen zu bleiben, und zumindest schone ich so meine Beine.«

»Sie machen das sehr gut. Das ist bei mir anders. Ich war immer verrückt nach Pferden.«

Als sie dann beide im Haus ihr Ölzeug und ihre Südwester ausgezogen hatten, dachte Tessa: »Sie ist nicht das, was manche Leute hübsch nennen würden, aber ein Künstler könnte sich für sie begeistern. Dieser feine, zierliche Knochenbau, die langen Beine und der kleine Kopf mit dem kurzen, welligen Haar. Gut, daß ich keine Porträts malen kann, sonst würde ich in Versuchung kommen. Ja, sie ist ganz der Typ eines Künstlers, aber nicht Dons Typ. Er mag die Mädchen gerne blond und ausgefallen – oder anschmiegsam, wie es ihm gerade paßt. Dieses Mädchen ist für ihn zu praktisch und zu erdverbunden. Schade, denn sie wäre eine herrliche Frau für ihn«, und dann lachte sie über sich selbst, weil sie immer versuchte, das richtige Mädchen für Don zu finden.

Thea war im Eßzimmer herumgewandert und kam jetzt in die Küche zurück, um zu sagen: »Ich mag Ihre Bilder gerne. Diese Aquarelle sind herrlich.«

»Aber altmodisch.«

»Ja? Ich kenne mich in der modernen Kunst nicht aus, obwohl ich Sie irgendwie für künstlerisch hielt. Mehr Mr. Munros Typ.«

»Wer ist Mr. Munro?«

»Haben Sie nicht von ihm gehört? Die Lokalblätter in Tana sind ganz begeistert von ihm. Er besitzt ein altes Haus an der Küste und kommt dorthin, wenn die Fremden weg sind. Sie sagen, er schreibt ein Buch, und niemand weiß, worüber. Irgend etwas schrecklich Gelehrtes, nehme ich an, denn er zieht sich von der ganzen Welt zurück.«

Thea hatte ihre Gastgeberin mehrmals angesehen und sagte jetzt zu Tessas Bestürzung: »Wissen Sie, seit Sie Ihren Südwester abgenommen haben und ich Ihr Gesicht sehen kann, bin ich sicher, daß ich Sie schon einmal gesehen habe. Wo war es nur?«

Sehr bestimmt antwortete Tessa: »Ich bin sicher, daß wir uns nicht kennen. Ich würde mich an Sie erinnern«, und zu sich selbst: ›Dieser verdammte Fotograf. Soll mich das auch hier verfolgen?‹

Ihr Gegenüber sah sie noch immer an. »Tja, das ist komisch, aber ich weiß, daß ich Sie gesehen habe, oder vielleicht ein Bild von Ihnen. Könnte das nicht sein?«

Nicht ganz wahrheitsgemäß antwortete Tessa unbekümmert: »Wer sollte mich fotografieren? Aber vielleicht hat man von mir einen Schnappschuß auf der Straße gemacht – eines dieser Zeitungsfotos von einem Platzregen in der Stadt, bei dem alle um ihr Leben rennen.«

»Das wird es wohl sein. Aber ich glaube, viele Leute würden

Sie gerne fotografieren wollen, weil Sie so hübsch sind.« Dann schwieg sie und errötete, denn sie spürte, daß sie mit einer Älteren zu persönlich gesprochen hatte.

Tessa lachte und sagte: »Das ist ein nettes Kompliment, wenn man dreißig ist.«

»Dreißig? Das glaube ich nicht. Sie sehen nicht älter aus als ich.«

»Unsinn, mein liebes Mädchen. Wie alt sind Sie? Zweiundzwanzig oder dreiundzwanzig?«

»Vierundzwanzig. Cyril ist ein Jahr jünger«, und sie fuhr fort, mit einer beschützenden Zuneigung, die Tessa rührend fand, von ihrem Bruder zu sprechen. Von diesem Thema kamen sie dann zum Leben der Melker und zu der Farm, die das Geschwisterpaar eines Tages zu erwerben hoffte, wenn es genügend Geld gespart haben würde, um eine Herde zu kaufen und eine Anzahlung zu leisten. Danach unterhielten sie sich über die Hansard-Kinder.

»Das Mädchen ist sehr nett, aber sie muß jede Modeneuheit mitmachen. Sehr hübsch, bemüht sich aber, es zu verbergen. Wissen Sie, wie man das heute eben tut – nichts als Haare und so.«

»In meinem Alter ist es so erholsam, nicht alles mitmachen zu müssen.«

»Mir geht es genauso. Deshalb lebe ich gerne im Hinterland. Zu mir paßt das Moderne nicht. Ich mag Sara, aber ich habe ein bißchen Angst vor ihr.«

»Wie ist der Junge?«

»Ein typischer Primaner, einer von der besten Sorte. Nett und zuverlässig und ein sehr guter Sportler, aber nicht so interessant wie Sara.«

»Sie mögen sie alle, nicht wahr?«

»Unheimlich. Wir sind sehr glücklich, daß wir die Arbeit haben und so einen netten Chef. Wir hatten so wenig Erfahrung. Nur zweimal eine Saison auf einer sehr gutgehenden Milchfarm. Natürlich ist es nicht leicht, hier draußen Leute zu bekommen, aber es war sehr nett von ihnen, uns zu nehmen.«

Als Don an diesem Abend nach Hause kam, sagte seine

Schwester: »Ich habe heute ein schrecklich nettes Mädchen kennengelernt.«

»Ich auch. Einfach Klasse.«

»Aber wie? Wo? Ich dachte, du warst mit Mr. Hansard am Grenzzaun.«

»War ich auch, und dabei lernte ich seine Tochter kennen, die für vierzehn Tage aus der Stadt nach Hause gekommen ist, wegen Grippe oder irgend etwas, obwohl sie ziemlich gesund aussah. Ich glaube eigentlich, daß sie diesen Handelskorrespondenzkurs nicht sehr ernst nimmt. Sie scheint mir nicht der Typ zu sein, der es in einem Büro in der Stadt aushält ... Sie brachte Toms Mittagessen hinaus und sprühte vor Temperament ... Teufel noch mal!«

Tessa lachte. Eine neue Liebe. Na ja, es war Zeit, daß er Joan vergaß. Es würde gut für ihn sein, etwas Ablenkung von seiner harten Arbeit zu haben. Ganz unbekümmert fuhr er fort: »Übrigens dachte ich, du würdest Sara gerne kennenlernen, so habe ich sie für Sonntag eingeladen. Wir werden ausreiten. Sie schwärmt für Pferde. Hält sich ein Reitpferd in der Stadt.«

Das perfekte Luxusweibchen. Es lohnte sich eigentlich nicht, von Thea Summers zu sprechen, und so begnügte sich Tessa damit zu sagen: »Ich habe das Mädchen getroffen, das bei den Hansards melkt. Sie hat einen Rundgang über ihre Schafweiden gemacht und mir mit einem Mutterschaf geholfen. Dann ist sie mitgekommen, und wir haben Tee getrunken. Ich mag sie gerne.«

Er war nicht interessiert. »Ich habe sie zwar noch nicht kennengelernt, aber sie gehört wohl zu den kräftigen, gutmütigen Typen ... Wenn du einverstanden bist, Tess, könntest du Sara für Sonntag zum Mittagessen einladen, oder? Es muß ziemlich langweilig sein, hier vierzehn Tage lang festzusitzen.«

Wenn Tessa an seine eigenen Vorurteile zugunsten dieses Ortes dachte, fand sie diese Aussage belustigend, aber sie sagte nur: »Natürlich bin ich einverstanden. Ich werde dort anrufen.« Denn in ihrer langen Erfahrung hatte sie gelernt, ihrem Bruder nicht zu widersprechen, wenn er Anstalten machte, sich vorübergehend zu verlieben. Es war immer besser, seine Begeisterung zu unterstützen und ihr freien Lauf zu lassen.

Das war diesmal nicht weiter schwierig, denn Tessa mochte Sara Hansard gerne. Bei diesem ersten Kennenlernen hatte das Mädchen natürlich einen konventionellen Reitdreß an, wie jeder, der die Pferde ernst nimmt. Die Reithosen waren zwar äußerst eng, aber ihr natürliches blondes Haar, das fast bis zur Taille reichte, war streng zurückgebunden und ließ ihr hübsches Gesicht mit den stark geschminkten Augen frei. Aber Tessa dachte, daß sie trotz all ihrer zur Schau gestellten Modernität ein liebes und sehr intelligentes Mädchen war.

Sie besichtigte die Bilder ihrer Gastgeberin und sagte: »Nicht schlecht, aber etwas zu niedlich, nicht wahr? Hat sie ein Freund von Ihnen gemalt?« Ohne eine Antwort abzuwarten, sagte sie dann: »Ich selbst bin mehr für die moderne Malerei. Ich gehe oft zu Kunstausstellungen, und ich habe vor ein paar Monaten ein phantastisches Ding gesehen. Herrlich in Farben und Darstellung. ›Träume‹ hieß es. Das Interessante daran war, daß man dort sagte, es sei von einer unbedeutenden Künstlerin gemalt worden, die vorher immer nur konventionelles Zeug gemalt hatte. Wahrscheinlich irgendeine psychologische Störung, vermute ich. Vielleicht eine unglückliche Liebesgeschichte, und das war ihre Therapie. Aber wie dem auch sei, das Gemälde war wirklich phantastisch.«

Tessa lächelte. Diesem Urteil stimmte sie zu. Aber sie sagte nur: »Interessant, was Sie sagen. Nun kommen Sie, jetzt wollen wir zu Mittag essen. Don kann es kaum erwarten, auszureiten.«

Drei Stunden später kamen sie nach Hause, sprühend vor Gesundheit und Anstrengung, und sie genossen den kurzen Sonnenschein eines herrlichen Wintertages. Tessa sah, wie sie den Hügel heraufgeritten kamen, und hatte noch Zeit, ihre Staffelei und die Farben wegzuräumen und die Türe des freien Zimmers abzuschließen. Sie bewunderte die vollkommene Anmut, mit der Sara auf ihrem Pferd über den breiten Graben gesprungen war. Don folgte sehr viel weniger graziös, und sobald er das Haus betreten hatte, konnte Tessa sehen, daß er völlig hingerissen war. Na ja, es würde eine nette Abwechslung für beide sein.

Beim Tee stellte sich heraus, daß die zwei Wochen verlängert werden sollten. Sara sagte unbekümmert: »Ich glaube, in diesem Semester werde ich nicht zurückgehen. Die Handelskorrespondenz ist so langweilig. Es hat keinen Zweck, mich abzustrampeln, denn ich frage mich allmählich ohnehin, ob ich jemals wirklich Büroarbeit mögen werde. Zur Abwechslung macht es einmal Spaß, zu Hause zu sein.«

Don bemühte sich, für so viel Spaß zu sorgen, wie es seine Arbeit erlaubte. Er war viel zu eifrig, als daß er die Farm oder sein Vieh vernachlässigt hätte, aber viele Abende verbrachte er entweder im Haus der Hansards, oder er eilte nach Hause, um sich umzuziehen und Sara zu dem zweimal in der Woche laufenden Film oder vielleicht zu einer lokalen Tanzveranstaltung in Tana auszuführen.

Natürlich war er nicht ihr einziger Bewunderer, und eines Tages sagte er mürrisch zu seiner Schwester: »Dieses Mädchen hat immer irgendeinen Kerl, der für die Wochenenden aus der Stadt kommt. Sie müssen zuviel Zeit und zuviel Geld haben. Junge Männer mit Bärten, und manche kommen weiß Gott woher, zum Beispiel aus Nigeria. Aber wenigstens kommen und gehen sie. Sie bleiben nicht wie Cyril.«

»Cyril? Hängt er sich auch an sie?«

»Ziemlich. Es ist geradezu rührend, wie er sie verfolgt, und wahrscheinlich schreibt er Gedichte über sie. Natürlich ist Sara freundlich zu ihm. Sie ist zu jedem freundlich. Aber ich weiß beim besten Willen nicht, was sie an ihm findet.«

Aber Tessa, die den charmanten Cyril in der Zwischenzeit kennengelernt hatte, konnte es verstehen, denn ihrer Meinung nach war er der hübscheste junge Mann, den sie je gesehen hatte. Er glich einem jungen Gott und war sehr feinfühlig, was Sara wahrscheinlich gefiel, die trotz all ihrer ausgefallenen Angewohnheiten alles andere als abgebrüht war. So sagte sie nur: »Nun ja, für ihn ist es leichter, ihr den Hof zu machen als für dich. Unsere Straße ist eben einfach gräßlich.«

Sie hatte den Versuch aufgegeben, sich in ihrem kleinen Auto hindurchzukämpfen, es sei denn nach einigen Tagen Sonnenschein und trocknendem Wind. Statt dessen ritt sie ihr altes Pony bis zur Ecke, um Post und Zeitungen zu holen und gelegentlich sogar, um ein paar Kleinigkeiten einzukaufen. Aber es fiel ihr schwer, auf dem Pferd viel zu tragen, und eines Tages hatte sie den Einfall, ein anderes Beförderungsmittel auszuprobieren. Der Gedanke kam ihr, als sie einen ausrangierten Schlitten in einem der Schuppen fand und sich an die alte Stute erinnerte, die, seit sie auf die Farm gekommen waren, dort herrenlos herumlief.

Tessa hatte sich Sorgen um sie gemacht, aber auch auf intensive Nachforschungen fand sich kein Besitzer für Dolly, wie sie sie ziemlich einfallslos genannt hatten. Als Tom Hansard gefragt wurde, schüttelte er den Kopf.

»Ich kann mich nicht erinnern, wann sie herkam. Ich glaube eigentlich, sie läuft schon jahrelang hier herum.«

Alf konnte auch keine erschöpfendere Auskunft geben. »Ist schon so lange hier wie ich, oder fast. Eines Tages ist sie, glaube ich, die Straße heraufgekommen und hat ihren Anspruch geltend gemacht. Heutzutage kümmert sich niemand um alte Zugpferde, bei den vielen Traktoren.«

Tessa hatte sich auf der Koppel mit der Stute angefreundet, und sie fand es sehr traurig, daß jemand ein altes Pferd im Stich ließ und sich nicht um sein Schicksal kümmerte. Eines Tages sagte sie: »Alf, glauben Sie, daß Dolly einen Schlitten ziehen könnte?«

»Warum nicht? Dazu wurde sie immer benutzt, meine ich. Niemand würde sie reiten wollen.«

»In einem der Schuppen steht ein alter Schlitten. Auch ein paar Ketten und ein Geschirr liegen dort. Aber alles sieht ziemlich verrostet aus.«

»Ich kann es vielleicht in Ordnung bringen und den Schlitten auch. Was wollen bloß Sie damit?«

»Ich hasse es, meinen kleinen Wagen auf dieser schlammigen Straße zu benutzen. Das nimmt ihn zu sehr mit.«

»Natürlich, und sie möchten sicher nicht, daß er kaputt ist, wenn Sie in die Stadt zurückkehren.«

Diese Worte erschreckten Tessa. In die Stadt zurückkehren? Na ja, das würde sie wahrscheinlich eines Tages tun, aber nicht in dieselbe Stadt. Aber warum über die Zukunft nachdenken? Sie genoß den Augenblick, und das genügte. Wie so oft in letzter Zeit tauchte bei diesem Gedanken das Bild von Edward Halls geduldigem Gesicht auf, und seine Stimme sagte: »Aber mein liebes Mädchen, jeder kluge Mensch schaut voraus.«

Trotzdem, sie hatte nicht die Absicht, das zu tun. Sie sagte geistesabwesend: »Es ist bestimmt nicht gut für ein kleines Auto, und oft gibt es Dinge, die man zu Pferd nicht gut tragen kann. Kommen Sie, Alf, wir wollen sehen, ob wir den Schlitten reparieren und die alte Stute davorspannen können. Ich kann sie leicht einfangen. Ich habe ihr wochenlang Heu gegeben.«

Alf verbrachte den Morgen damit, den Schlitten zu reparieren und das dürftige Geschirr einigermaßen zu sichern. »Das ist hervorragend«, lobte ihn Tessa. »Ist außerdem nicht so wichtig! Mit dem alten Mädchen kann nichts passieren.«

»Denken Sie daran, wenn sie rückwärts geht, kann sie Sie einen dieser steilen Abhänge an der Straße hinunterstürzen«, warnte Alf.

Aber Tessa hatte recht. Es passierte überhaupt nichts, als sie Dolly vor den Schlitten spannten. Sie verspürte nicht den Wunsch durchzugehen. Als Alf Tessa gezeigt hatte, wie man das Kummet und das Geschirr anlegt und die Ketten an den Drahtschlaufen, die er an den Schlitten genagelt hatte, befestigt, gab er ihr die Zügel, die er aus Seilen gemacht hatte, und meinte, sie solle zuerst ein bißchen in der Koppel üben. Tessa packte die Zügel sehr fest, falls Dolly durchgehen oder ausschlagen sollte. Sie tat weder das eine noch das andere. Sie stand nur einfach mit gesenktem Kopf da und studierte den Schotter im Hof.

»Schlagen Sie sie«, drängte Alf sie und gab ihr eine lange Reitgerte. Zögernd gab Tessa Dolly einen Klaps auf die Rippen; das Pferd wedelte mit dem Schweif, als wolle es eine Fliege fortscheuchen, und sein Kopf senkte sich noch tiefer. Alf übernahm die Zügel und bestand auf strengeren Maßnahmen. Er ließ die Reitgerte empfindlich auf den kräftigen Rumpf niedersausen und trieb Dolly zu einigen Schritten an, nach denen sie endgültig stehenblieb. Aber Alf war hartnäckig, Tessa schwang die Zügel, und schließlich zog Dolly den Schlitten widerwillig durch den Hof. Dann hob sie plötzlich den Kopf, als erinnere sie sich an vergangene Zeiten, wieherte schrill irgendeinen Geist aus der

Vergangenheit an und bewegte sich schwerfällig in einem sehr langsamen Trott vorwärts, während Tessa sie aufmunterte und Alf nebenherlief.

»Jetzt hat sie es gefressen«, keuchte er. »Ich glaube schon. Aber ich werde sie ein oder zweimal im Hof herumführen.«

Inzwischen schien Dolly Gefallen an diesem Abenteuer zu finden. »Glaubt, sie müßte sich das Futter jetzt für die letzten zehn Jahre verdienen«, grinste Alf und übergab Tessa die Zügel.

Es war herrlich, einen Schlitten zu fahren. Tessa fühlte sich wie all die Pionierfrauen, von denen sie gelesen hatte. Sie war ganz hingerissen und fuhr öfter als bisher zu der Ecke, wenn dort Vorräte oder Post abzuholen waren. Sara traf sie einmal auf der Straße und war äußerst belustigt. »Das nächste Mal muß ich einfach meinen Fotoapparat holen. Das ist zu schön! Die Farmerzeitungen würden sich darauf stürzen.«

Zumindest würde sie keiner der früheren Künstlerfreunde wiedererkennen, dachte Tessa. Wenn sie jemals in die Stadt zurückkehren sollte, was Gott verhüten mochte, würde sie von diesem Foto nicht verfolgt werden, wie von dem anderen, nicht ständig überfallen werden mit dieser ärgerlichen Frage: ›Kennen wir uns nicht?‹ Wer würde schon einer sonderbar gekleideten Frau Beachtung schenken, die auf einem schlammigen Weg einen uralten Schlitten fuhr?

Dolly und ihr Schlitten machten das Leben für Tessa leichter: Sie brauchte sich mit ihrem kleinen Auto nicht mehr durch den Schlamm zu kämpfen; sie brauchte nicht mehr hin und her zu reiten und schwere Sachen zu tragen. Tessa und die alte Stute gaben ein nützliches, wenn auch wenig schönes Paar ab. Dolly lebte jetzt in der Koppel der Farm, wurde mit Brot und viel Heu hochgepäppelt und gewöhnte sich so an die Hand, die sie fütterte, daß sie direkt darauf wartete, angeschirrt und vor den Schlitten gespannt zu werden. Tessa war nun schon abgehärtet gegen die Belustigung, die sie hervorrief, wenn sie zufällig jemanden traf, und sie fuhr fröhlich in ihren uneleganten Kleidern durch den Schlamm.

An einem nassen Nachmittag im frühen Juli malte sie wieder einmal, als Jake anrief, um ihr zu sagen, daß er die von ihr bestellten Waren geschickt habe und daß Friday um ungefähr 4.30 Uhr an der Ecke sein würde. Das Dach leckte, und Jake machte sich Sorgen, daß die Lebensmittel naß werden könnten.

Tessa ließ ihre Staffelei sofort im Stich, denn es war schon nach 4.30 Uhr. Sie machte sich nicht mehr die Mühe, ihre Farben und die vielen Skizzen, die sie auf dem Bett in dem freien Zimmer ausgebreitet hatte, aufzuräumen, und sie vergaß auch, die Türe abzuschließen, denn sie wollte die Waren unbedingt vor dem strömenden Regen retten. Sie schirrte Dolly an und eilte dann zum Haus zurück, um sich einen trockenen Mantel zu holen und einen Südwester, den sie über das Kopftuch stülpen wollte.

Der Südwester war verschwunden, wie das die Dinge bei Tessa oft taten. »Er kann nicht weit sein«, murmelte sie und lachte dann über die uralte Entschuldigung der Unordentlichen. Nach ein paar Minuten gab sie die Suche auf und wollte ihren alten Filzhut holen, erinnerte sich aber dann, daß sie ihn in dem Heuschuppen in der dritten Koppel vergessen hatte. Was konnte sie als Kopfbedeckung benutzen? Ein zweites Kopftuch würde sofort naß sein, und ihre alten Hüte hatte sie alle weggeworfen, als sie die Stadt verlassen hatte.

In einem Augenblick der Verzweiflung sah sie einen Kaffeewärmer, den sie nie gebraucht hatte. Es war eine sehr kunstvolle Handarbeit in blaßblauer und rosa Wolle mit vielen Bommeln als Umrandung. Grinsend setzte sie ihn sich auf den Kopf. Zumindest würde er ihr Haar trocken halten, und sie würde ja niemandem begegnen. Sie lachte, als sie sich selbst im Spiegel sah, eine kleine Gestalt in Ölzeug, wozu die lustigen Bommeln über ihrer Nase überhaupt nicht paßten. Aber was machte es schon? Das war das beste am Hinterland. Sara, die sich an diesem Anblick ergötzt hätte, war für den ganzen Tag in die Stadt gefahren; Alf war sicher in seiner Hütte mit Klavier und Kater beschäftigt, und Don inspizierte das Vieh im hinteren Teil der Farm und würde erst bei Anbruch der Dunkelheit zurückkommen. Sie schnappte sich einen alten Regenschirm. Wenn sie zufällig irgend jemanden sehen würde, konnte sie den Kaffeewärmer abnehmen und sich mit dem Schirm schützen.

Aber sogar Dolly hatte ihre Vorurteile, und dazu gehörte der Schirm. Tessa öffnete das Gatter und spannte den Regenschirm auf. Dolly drehte sich um, sah ihn, schüttelte sich heftig und zeigte Anwandlungen, über den Zaun zu springen. Erst als der Schirm im Hof blieb, willigte sie ein, den Schlitten zu ziehen. Tessa seufzte und gab nach; sie hatte Zeit verloren, und die Lebensmittel konnten inzwischen schon naß geworden sein. Mit einem ungestümen Schnauben der Erleichterung ließ sich Dolly das Kummet umlegen und machte sich auf den schlammigen Weg.

Als sie an die Ecke kamen, boten weder Pferd noch Fahrerin einen schönen Anblick. Der Schlamm war ziemlich weich, und Tessas Gummistiefel waren damit beschmiert, ihr Drillichzeug war bespritzt, und sie hatte sogar im Gesicht Schlammflecken. Aber natürlich würde sie niemanden treffen, und die Möglichkeit, daß ein Auto während der wenigen Minuten, die sie an der Ecke verbringen würde, vorbeikam, war sehr unwahrscheinlich. An einem solchen Tag ging bestimmt niemand hinaus, und wenn es doch jemand tun sollte, so machte das auch nicht viel aus.

Aber sie geriet doch völlig aus der Fassung, als sie die Ecke erreichte und einen großen Wagen etwas weiter oben auf der geschotterten Straße am Rand stehen sah. Nicht einmal ein vorüberfahrendes Auto; ein stehendes; sehr wahrscheinlich hatte es eine Panne. Sie hoffte, daß die Insassen sie nicht sehen würden; sie würde ihre Waren still abholen und sich dann davonstehlen. Eine unfreundliche Handlung, das gab sie zu, aber es goß in Strömen, und sie konnte es unmöglich riskieren, sich von dem Kaffeewärmer zu trennen.

Ein großer Mann beugte sich über die Motorhaube des Autos, aber er war nicht sehr nahe und kehrte Tessa den Rücken zu. Er tat ihr leid, aber sie war kein Mechaniker und hätte nicht viel helfen können. Alfs Haus lag nur etwas weiter die Straße hinauf, und von dort aus konnte er telefonieren. Sie beruhigte ihr Gewissen, war jedoch nicht ganz zufrieden mit ihrem wenig pionierhaften Verhalten und begann ruhig, die Waren auf den Schlitten zu laden.

Dann verdarb Dolly alles, indem sie ein durchdringendes Wiehern von sich gab, mit dem sie seit neuestem jede Gesellschaft begrüßte. Der Mann richtete sich auf und drehte sich so schnell um, daß Tessa, deren Hände voll waren, keine Zeit mehr hatte, ihren eigenartigen Kopfschmuck abzunehmen. Zu spät steckte sie ihn in ihre Tasche. Er hatte den Kaffeewärmer gesehen, und zumindest hatte er ihn erheitert, denn die finstere Miene, mit der er den Motor gemustert hatte, wich einem schnellen, unterdrückten Grinsen.

»Entschuldigen Sie sich nicht für Ihr Lachen«, sagte Tessa in ihrer unverbesserlichen fröhlichen Art. »Sie konnten ja gar nicht anders bei all diesen Bommeln. Es tut mir leid, daß Sie Schwierigkeiten haben, aber ich werde Ihnen meine Hilfe nicht anbieten, denn ich verstehe nichts von mechanischen Dingen. Ein paar Meilen weiter oben an der Straße ist ein Häuschen. Aber Sie müssen sehr laut klopfen, denn der Mann, der dort lebt, spielt vielleicht Klavier und wird Sie nicht hören.«

»In dieser Gegend Klavier spielen! Guter Gott!«

»Es klingt wirklich komisch, und Sie werden glauben, daß wir alle verrückt sind, mit Schlitten und Kaffeewärmern und Klavieren ... Wenn Sie es natürlich auf sich nehmen könnten, eine halbe Meile durch den Schlamm zu waten, dann könnten

Sie unser Telefon benutzen. Aber sauberer ist es, auf der Hauptstraße zu bleiben.«

»Danke. Ich will es lieber mit dem Schlamm aufnehmen als mit dem Klavier. Ich habe Gummistiefel hier.«

Sie dachte: ›Er ist ganz nett. Wer mag er nur sein?‹ Und als würde er auf ihre Gedanken antworten, sagte er: »Mein Name ist Kenneth Munro. Ich besitze ein altes Haus unten an der Küste, und ich bin heute in der Stadt gewesen. Ich weiß nicht, was mit dem Auto nicht stimmt, aber niemand ist vorbeigekommen, und ich bin schon seit einer halben Stunde hier. Das ist lange genug.«

»Natürlich ist es das. Nehmen Sie ein Ende des Segeltuchs und helfen Sie mir, die Waren abzudecken, dann wollen wir gehen. Viel später dürfen wir nicht kommen, sonst erwischen wir vielleicht Jake nicht mehr. Es hängt alles davon ab, wie sein Abend heute verläuft ... Ich bin Tessa Nelson, und meinem Bruder gehört die Farm am Ende dieses Weges. Ich führe das Haus für ihn – mehr oder weniger.«

Nebeneinander gingen sie durch den Schlamm, und er wiederholte: »Mehr oder weniger? Heißt das, daß Sie nur gelegentlich hier wohnen, wie ich?«

»O nein. Mit ›mehr oder weniger‹ meine ich die Haushaltsführung, nicht mich.«

Er lächelte wieder. »Und Sie sind gerne im Hinterland begraben, wie es die Romanciers nennen?«

»Ja. Es macht Spaß, begraben zu sein. Finden Sie nicht auch?«

»Ausgesprochen. Mein Haus ist auch herrlich abgelegen, außer in der sogenannten Saison. Und dann gehe ich weg.«

Sie nickte. Er sah nicht so aus, als ob ihm die Urlaubermassen gefallen würden. »Ich mag Menschenmengen auch nicht. Aber davor sind wir hier sicher.«

Er hatte sie angesehen, während sie sprach, und jetzt sagte er: »Kennen wir uns nicht? Ich erinnere mich an Ihr Gesicht.«

Tessa bemühte sich, nicht zusammenzuzucken. Schon wieder diese schreckliche Vergangenheit ... Sie sagte gelassen: »Das glaube ich nicht. Ich bin nicht viel ausgegangen, und wir sind auch erst seit vier Monaten hier. Wir sind noch nicht richtig eingerichtet, und ich bin eine schlechte Hausfrau. Ich helfe immer lieber im Freien, als zu kehren und Staub zu wischen. Und was das Kochen betrifft . . . Aber der Ofen funktioniert und der Kessel kocht bestimmt. Ich werde Tee machen, während Sie versuchen, die Werkstatt anzurufen.«

Sie war ein angenehmer und freundlicher Mensch, und wenn das Auto schon eine Panne haben mußte, so war er froh, daß es in der Nähe ihres Hauses geschehen war. Sie brachten den Schlitten zur Vorderseite des Hauses, und Munro sagte: »Ich werde diese Waren hineintragen. Geradeaus bis zur Küche, wie bei mir? Dann werde ich mich mit dem Telefon befassen.«

Aber Tessa war voll Bestürzung eingefallen, daß sie die Tür zu dem leeren Zimmer aufgelassen hatte und daß das Bett mit seinem Durcheinander von Skizzen und Farben von der Tür aus zu sehen war. Es wäre schrecklich, wenn er sich beim Anblick der Malutensilien an das verdammt Foto erinnern würde. Sie versuchte, vorauszugehen und die Türe zu schließen, aber er kam ihr zuvor, indem er die Kartons ergriff und sie den Gang hinuntertrug. Sie sah, wie er durch die offene Tür guckte und einen Augenblick zögerte.

»Das Telefon ist in der Küche«, rief sie hastig, aber er setzte die Waren mit der Bemerkung auf dem Tisch ab: »Sie malen also. Dann muß ich Sie auf irgendeiner Kunstausstellung getroffen haben. Ich besuche sie, wenn ich in der Stadt bin. Als ich Sie sah, habe ich Sie irgendwie mit Bildern in Verbindung gebracht.«

»Unter diesem Kaffeewärmer? Hören Sie, wenn Sie wollen, daß Ihr Auto noch heute abend wieder fährt, dann sollten Sie wirklich gleich telefonieren.«

Er sah sie etwas neugierig an. Warum wechselte sie so hastig das Thema, wenn er es wagte, ihre Malerei zu erwähnen? Die meisten Künstler sprachen sehr gerne über ihre Arbeit. Der eine Blick auf die Skizze auf der Staffelei hatte ihm bewiesen, daß sie gut war. Er folge jedoch ihrem Wink und nahm den üblichen Kampf mit dem Sammelanschluß auf. Als er es schließlich fertigbrachte, zwei schwatzenden Frauen klarzumachen, daß er das Telefon dringend brauchte, gelang es ihm trotzdem noch nicht, Jake aufzuwecken. »Diese verdammten Postmeister auf dem

Lande«, murmelte er, aber Tessa erklärte ihm vernünftig, daß Jake um fünf Uhr schließen konnte, und jetzt war es bereits halb sechs.

»Kommen Sie mit Tee trinken, und dann versuchen wir es noch einmal. Ich habe ein ganz besonderes Klingelzeichen, und Jake erkennt es. Wenn er an Deck ist, wird er mir antworten.«

»Eine gräßliche Günstlingswirtschaft«, sagte er; und dann: »Was für ein nettes altes Haus das ist!«

»Von außen dem Ihren ziemlich ähnlich. Zumindest vermute ich, daß es Ihnen gehört«, und sie erzählte ihm, daß sie nach Tana gefahren war, aber nicht, daß sie am Strand gemalt hatte.

»Mein Haus ist das einzige dort; die Ferienstrände sind näher bei Tana. Ich mag das Haus gerne, aber den meisten Frauen würde es nicht gefallen. Es ist unregelmäßig angelegt und alt. Ich sah, daß es zum Verkauf angeboten war, und dachte, es wäre ein guter Ort, um sich einen Teil des Jahres dorthin zurückzuziehen.«

»Und ist es das?«

»O ja. Ich bleibe nicht dort, wenn die Urlauber eintreffen. Es sind alles nette Leute, aber ich erwarte von Tana Einsamkeit ... Ich versuche besser, noch einmal zu telefonieren. Es ist praktisch schon dunkel.«

»Nein, lassen Sie es mich versuchen. Trinken Sie Ihren Tee. Ich werde Jake erreichen, wenn er da ist – und nüchtern.«

Aber das war offensichtlich nicht der Fall, und sie mußte ihren Mißerfolg eingestehen. In diesem Augenblick kam Don völlig durchnäßt von den Schafen zurück und wurde vorgestellt. Er sagte sofort: »Es hat keinen Zweck, sich heute abend noch den Kopf zu zerbrechen. Es ist viel zu dunkel, als daß irgend jemand Ihren Wagen reparieren könnte, selbst wenn jemand zu dieser Tageszeit herauskommen würde. Wir können Sie unterbringen, nicht wahr, Tess?«

Sie dachte an das freie Schlafzimmer und erinnerte sich dann an die immerwährende Gastfreundschaft der Pionierfrauen, so sagte sie: »Ja, ganz leicht. Ich habe Mr. Munro schon gesagt, daß ich keine Hausfrau bin, aber zumindest steht dort ein bequemes Bett.« (Und in diesem Augenblick ist es mit meinen alten Skizzen bedeckt, überlegte sie.)

Er war dankbar, wenn er auch zögerte, ihnen Mühe zu machen. Aber er mußte zugeben, daß es keine Alternative gab, es sei denn, er jagte seinen Gastgeber hinaus, um ihn nach Hause zu fahren. Gottseidank konnte man die Mahlzeit so strecken, daß sie für drei Personen reichte; so handelte es sich für Tessa nur noch darum, zuerst in das freie Zimmer zu gelangen und alles aufzuräumen.

Aber das gelang ihr nicht, denn als sich Don in sein Bad zurückgezogen hatte und sie das Feuer im Eßzimmer anzündete, weigerte sich ihr Gast, sich hinzusetzen, und bestand hartnäckig darauf, daß jeder Junggeselle sein Bett selbst machen könnte. Er folgte ihr entschlossen, als sie zu fliehen versuchte, und als er in das freie Zimmer kam, rief er begeistert aus: »Was ist das? Eine Kunstausstellung?«

»Ich habe nur ein paar Skizzen sortiert«, begann Tessa gelassen, in der Hoffnung, das würde nach der Arbeit anderer klingen. Aber er hatte das halbfertige Gemälde auf der Staffelei schon gründlich betrachtet und rief aus: »Aber die sind gut – und sie sind von Ihnen. Sie sind eine Künstlerin.«

Sie wurde rot vor Wut. »Nur – so etwas Ähnliches. Nichts Besonderes.«

»Aber warum diese ganze Geheimniskrämerei? Es ist doch etwas, worauf man bestimmt stolz sein kann!«

»Nein. Sie sind zu altmodisch – und ich spreche nicht gerne davon.«

Er entschuldigte sich, blieb aber hartnäckig. »Sie müssen doch an die Öffentlichkeit gewöhnt sein?«

Sie erinnerte sich an ihre kurze und unangenehme Erfahrung mit dem Berühmtsein und sagte schnell: »O nein, ich habe nicht den richtigen Stil. Ich bin eine Vertreterin der gegenständlichen Kunst, und die Kritiker mögen mich nicht. Ich habe es aufgegeben. Ich mache es nur noch manchmal zum Vergnügen. Außerdem habe ich bei allem, was auf der Farm zu tun ist, nicht viel Zeit.«

»Sie sind gerne so etwas wie eine Pioniersfrau – zur Abwechslung? Das dachte ich mir, als ich diesen Schlitten sah.

Schade, wenn man soviel Talent hat. Trotzdem, es ist Ihre Angelegenheit. Ich bin in Ihr Privatleben eingedrungen. Ich habe es nicht gerne, wenn andere in meines eindringen. Verzeihen Sie mir.«

»Schon gut. Es ist meine Schuld, daß ich eine so unordentliche Hausfrau bin. Schließlich sind die Betten für Menschen und nicht für Skizzen gedacht.«

Dabei beließ er es, half ihr, das Bett zu machen, und kam nicht mehr auf die Bilder zurück, die ihn offensichtlich interessierten. Jetzt tauchte Don aus dem Badezimmer auf, um sich zu entschuldigen, daß er etwas in Eile sei. Sara hatte irgendein wichtiges Gerät für ihn aus der Stadt mitgebracht, und er hatte verabredet, es an diesem Abend zu holen. Tessa seufzte resignierend. Sicher konnte das Gerät bis morgen warten? Jetzt würde sie einen langen einsamen Abend mit diesem Fremden verbringen müssen . . . und der Anfang war nicht gerade angenehm gewesen, mit Kaffeewärmer und Gemälden. Aber sie sagte nur: »Natürlich. Gib Mr. Munro nur etwas zu trinken, während ich das Essen fertig mache.«

Die beiden Männer unterhielten sich angeregt. Offenbar verstand Munro eine ganze Menge vom Land und hatte eigentlich beabsichtigt, diese Farm zu kaufen, bevor er sein Haus an der Küste gefunden hatte.

»Es schien der ideale Ort, um zu überwintern – ein Lehmweg mitten im Busch, und so weiter. Aber da war das Land. Ich habe Ihren Nachbarn, Mr. Hansard, gefragt, ob er es nicht pachten wolle, aber er hatte schon zuviel am Hals.«

»Sie haben nicht daran gedacht, es selbst zu bestellen?«

»Nein. Da hätte ich einen Arbeiter haben müssen, wahrscheinlich mit seiner Frau, um den Haushalt zu führen – und dann wäre es mit der Zurückgezogenheit vorbei gewesen. Und das Land war viel zu gut, um es brachliegen zu lassen. So habe ich den Plan aufgegeben. Aber Sie besitzen die Grundlagen einer sehr guten Farm und ein nettes altes Haus, das dem meinen ganz ähnlich ist.«

»Werden Sie es nicht leid, alles selbst tun zu müssen?«

»Nein, denn es geht ja nur um einen Teil des Jahres, und es

ist eine herrliche Abwechslung gegenüber der Stadt und der Dienstwohnung. Es gefällt mir eigentlich, allein in einem Haus herumzupusseln.«

Das bewies er, als er Tessa kräftig half, nachdem Don zu der zauberhaften Sara geeilt war. Anschließend bummelte er durch das Eßzimmer und ging, ohne sich zu entschuldigen, von einem Bild zum anderen.

»Verschiedene darunter sind von Ihnen. Die besten.«

»Woher wissen Sie das? Sie sind doch nicht gezeichnet.«

»Es ist leicht, sie zu erkennen.«

»Das beweist, daß ich überholt bin. Altmodisch und eindeutig.«

»Falsche Bescheidenheit. Ich mag sie sehr gerne.«

»Dann sind sie auch altmodisch.«

Er lachte. »Nicht völlig. Ich mag einiges von dem modernen Zeug, und ich halte viel von der abstrakten Kunst. Aber manche Künstler treiben es wirklich zu weit. Es ist sehr schwer festzustellen, ob sie einen zum Narren halten. Wenn sie das nicht tun, geben sie an.«

»Ist die Sehnsucht nach Originalität nicht etwas Positives?«

»Nicht, wenn es eine Sehnsucht nach Sensation ist. Ich bin kein Kunstkritiker, aber ich besuche ziemlich regelmäßig die Galerien, wenn ich in der Stadt bin. Manches von dem, was ich in der letzten Zeit gesehen habe, hat mich geärgert. Es war dort ein sogenanntes Gemälde, das vor einigen Monaten große Aufmerksamkeit erregte und für die Galerie gekauft wurde. ›Träume‹ nannte es der Künstler – ein verdammter Alptraum!«

Tessa kniete vor dem Feuer nieder, stocherte konzentriert im Rataholz herum und verbarg ihr eigenes glühendes Gesicht. Er redete noch immer.

»Ein scheußliches Ding. Man hätte denken können, der Kerl hätte die Farben einfach auf die Leinwand geworfen. Weder Schönheit noch Bedeutung, fast eine Karikatur.«

Einen Moment lang hatte sie das Bedürfnis zu sagen: Aber genau das war es ja – eine Karikatur. Ich habe nie im Traum daran gedacht, daß es jemand ernst nehmen würde. Und gerne hätte sie ihm die ganze Geschichte erzählt. Es hätte sie erleichtert, einmal mit jemandem darüber sprechen zu können. Aber Tessa war inzwischen zu erwachsen, um darauf zu brennen, Geständnisse abzulegen, und sie unterdrückte diese Regung. Er sprach zu Ende: »Und das gräßliche Ding brachte einen ziemlichen Preis ein. Schade um das Geld! Dieser sogenannte Künstler hätte sich schämen sollen, es zu nehmen.«

Sie hätte sagen können: »Aber sie hat es nicht genommen. Sie hat es für einen ernsthaften Preis ausgesetzt.« Statt dessen erstickte sie ein Gähnen, und er sagte: »Ich langweile Sie mit meinem Gerede. Es interessiert Sie nicht. Ich kann mir nicht vorstellen, daß jemand, der so malen kann wie Sie, den Wunsch hat, sich diese Verzerrungen anzusehen ... Sagen Sie mir, haben Sie jemals die Blumen hier gemalt? Dafür scheint Ihr Stil besonders geeignet.«

Erleichtert wandte sich Tessa diesem neuen Thema zu. »Nein. Ich wollte es oft, aber ich kenne eigentlich nicht viele von ihnen. Ich habe nie zuvor im Busch gelebt.«

»Und es gefällt Ihnen?«

»Ungeheuer!« Und dann sprachen sie von vielen Dingen, von dem Leben im Hinterland, von seinen Reizen und Besonderheiten. Ohne ihre Namen preiszugeben, erzählte sie ihm von Alf und seinem Klavier, von den Ellisons und ihrem albernen Streit, und er sagte nachdenklich: »Wie schade. Die Einsamkeit bewirkt manchmal eigenartige Dinge, und in diesem besonderen Winkel der Welt sind wir, wie Sie schon sagten, in die dreißiger Jahre zurückversetzt. Manche Leute werden nicht damit fertig.«

»Dann gibt es hier noch ein nettes altes Ehepaar, das Kindergeschichten schreibt. Der Mann mag Kinder nicht einmal, aber er ringt sich die Geschichten ab, und sie bringen ihm genug Geld, um einen Tierarzt zu holen, wenn er für ihre alten Lieblinge gebraucht wird. Sie würden das wahrscheinlich als Prostitution der Kunst betrachten, genauso wie das, was der Künstler mit diesem Bild gemacht hatte.«

»Aber nicht im geringsten. Wahrscheinlich schreibt er anständige Bücher und tut sein Bestes, um sie interessant zu machen. Warum sollte man sich für ehrliche Arbeit nicht bezahlen lassen? Hat nicht Dr. Johnson gesagt, nur ein Narr würde nicht für Geld schreiben? Ich nehme es nur übel, wenn jemand Geld für eine schlechte Arbeit nimmt.«

Erschrocken wechselte sie das Thema. Dieser Mann urteilte sehr hart über ›Träume‹. Was für ein Segen, daß sie diese elende Ausstellung nicht besucht hatte! Wie leicht hätte sie ihn dort treffen können.

Er war anders als die meisten Menschen, überlegte sie, da er nicht viel von sich selbst erzählte. Weil Tessa eine gute Zuhörerin war, wurde sie gewöhnlich mit einer Flut von Vertraulichkeiten überschüttet. Aber Munro sprach nicht von dem Buch, das er schrieb, und am Ende des Abends wußte sie nicht mehr von ihm als am Anfang.

Um zehn Uhr sagte sie: »Ich gehe unanständig früh zu Bett, weil ich morgens möglichst früh für Don den Gang über die Weiden machen muß. Ich hole Ihnen einen Schlafanzug, und wenn Sie möchten, können Sie ein Bad nehmen. Der alte Ofen hat einen Vorteil – er heizt sehr viel Wasser auf.«

Am anderen Morgen verließ er sie, ohne etwas von seinem Buch preisgegeben zu haben. Sie wußte nur, daß er den Winter über und einen Teil des Sommers in seinem alten Haus lebte und den Rest des Jahres reiste oder in der Stadt lebte. Sie wußte jetzt viel von seinem Geschmack und seinen Vorurteilen in Literatur und bildender Kunst, aber nichts über seine eigene Arbeit oder über deren Beurteilung. Es war ihm gelungen, sehr früh Verbindung mit der Werkstatt zu bekommen, und dann machte er sich auf den Weg, um den Mechaniker zu treffen, der herauskommen und sein Auto reparieren sollte.

Er dankte den Geschwistern und sagte: »Ich möchte gerne, daß Sie mein Haus sehen und die Aussicht genießen. Würden Sie mich bald einmal besuchen kommen und vielleicht mit zum Fischen gehen, wenn das Wetter schön ist?«

Sie versprach es beiläufig, aber Tessa dachte: Eine allgemeine Einladung bedeutet nie viel. Er möchte nicht gestört werden, und das ist auch gut so. Ich habe das Gefühl, daß von dort Gefahr droht und daß er eines Tages sagen wird: ›Ich weiß, wo ich Sie gesehen habe, es war ein Foto in der Zeitung, neben diesem gräßlichen Gemälde.‹

7

»Haben Sie schon einmal einen so schlechten Winter gehabt? So viele Stürme und strenge Fröste?« fragte Tessa Dora Butler.

»O ja. Es ist kein besonders schlimmer Winter. Drei oder vier Monate sind immer so, aber im September wird es besser, und der Oktober ist oft ziemlich schön.«

Tessa konnte nur wünschen, daß der September schnell kam. In der Zwischenzeit hatte sie so viel zu tun, daß sie nur gelegentlich einmal eine Stunde vor ihrer Staffelei verbringen konnte. Die Mutterschafe, die Don gekauft hatte, würden früher lammen, als es in diesem Teil der Welt üblich war, wo sich die meisten Farmer für spätere Lämmer und weniger Wagnis entschieden. Im nächsten Jahr, sagte Don, würde er sich nicht so überraschen lassen, ohne Getreide, das über die Grasknappheit hinweghelfen konnte, und mit ungeschorenen Mutterschafen, deren letzte Besitzer es nicht für nötig gehalten hatten, die Wolle vor dem Verkauf zu entfernen. Das Ergebnis waren viele Geburten, einige zu früh geborene Lämmer und sehr viele Lämmer, die mühsam aufgezogen werden mußten.

Tessa fand, daß sie die Arbeit eines Schafhirten immer besser lernte. Es war mehr eine Frage der Geschicklichkeit als der wirklichen Kraft, ein schweres Mutterschaf auf die Beine zu bringen, es zu führen, bis es fest stand, und zu warten, bis es das Gleichgewicht halten konnte. Danach handelte es sich nur noch darum, in Wind und Regen auf einem Baumstamm zu sitzen, bis das dumme Tier ruhig fraß. Natürlich gab es Unglücksfälle; gegen Ende Juli war das Lammen in vollem Gange, und Tessa mußte oft in aller Eile ausreiten, um Don zu Hilfe zu holen.

Und dann fand sie eines Tages heraus, daß Thea genau über alles Bescheid wußte, ebensogut wie ein Schafzüchter. Sie trafen sich jetzt oft auf ihren Runden und gingen gemeinsam zum Haus zurück, um Tee zu trinken. Jetzt rief Tessa über den Zaun: »Thea, ich muß gehen, um Don zu holen. Dieses arme Tier versucht zu werfen und bringt es nicht fertig.«

Zu ihrer Überraschung rief das Mädchen zurück: »Ist gut. Ich komme und werde danach sehen«, und dann folgte eine Vorführung in Geburtshilfe, wobei Tessa leichte Übelkeit verspürte, ihre Entschlossenheit aber nur um so fester wurde.

»Wenn Sie das tun können, kann ich es auch«, sagte sie und besah voll Ekel das zitternde, langbeinige, kleine Geschöpf, das jetzt unsicher auf seinen Beinen schwankte und sich an die Seite seiner Mutter kuschelte. »Es ist gar nicht so schwierig, und es geht schneller, als wenn ich erst Don holen müßte.«

»Zuerst werden Sie es verabscheuen. Das ging mir auch so, aber jetzt habe ich mich daran gewöhnt.«

»Ich werde mich auch daran gewöhnen, und es hat keinen Zweck, zimperlich zu sein.«

»Das ist eine gute Einstellung, aber ich werde es Ihnen vorher noch einmal zeigen. Ich habe ein Mutterschaf, das Schwierigkeiten macht – in der nächsten Koppel. Kommen Sie mit mir, und ich werde es Ihnen noch einmal vorführen.«

Danach rief Tessa ihren Bruder nur noch selten, und er erklärte, daß er an ihr eine erstklassige Schafhirtin habe.

Aber wenn die Arbeit auch nicht schwer war, so hörte sie doch nie auf, und Tessa merkte, daß Dons Sorgen sie sehr in Anspruch nahmen. Ein schlimmer Sturm mit neugeborenen Lämmern in einer ungeschützten Koppel hielt sie die ganze Nacht wach, und im Augenblick fütterte sie ein halbes Dutzend verlassener Lämmer, bis Don Mutterschafe finden konnte, die sie adoptierten. Abends kämpfte sie sich mit Flaschen warmer Milch durch die Dunkelheit zu dem Schuppen, wo die mutterlosen Schafe waren, und empfand große Befriedigung, wenn sie ein rührendes kleines Wesen wieder zum Leben erweckt hatte, und Erbitterung, wenn sie am nächsten Morgen entdeckte, daß es letztlich doch nicht durchgekommen war.

»Ich habe immer gedacht, die Schaffarmer hätten ein leichtes Leben«, sagte sie zu Thea. »Ich dachte, sie reiten zu den Schafen hinaus, und die Wolle wächst von alleine – obwohl ich weiß, daß Wolle im Moment bei niemandem sehr gefragt ist.«

»Die schlimme Zeit dauert nur drei Monate«, tröstete sie das Mädchen. »Wenn das Lammen vorüber ist und die Schafe geschoren sind, dann wird alles leichter. Natürlich ist es hart, wenn ein Mann eine vernachlässigte Farm wie diese übernimmt und ständig versucht, alles nachzuholen, Gatter zu reparieren, Zäune zu bauen und auch noch nach den Schafen zu sehen.«

»Don geht noch immer zu dem Grenzzaun, so oft er kann. Er hat Angst, daß die Rinder jetzt, wo das Futter knapp ist, in den Busch hinausgehen.«

»Er arbeitet hart, nicht wahr? Aber es lohnt sich, wenn man das Land liebt.«

»Ja, er liebt es zu sehr. Er gönnt sich keine Pause, jetzt, wo Sara in die Stadt zurückgekehrt ist.«

Denn nach einem Monat unnötiger Ruhe und Erholung hatte die attraktive Hansard-Tochter beschlossen, wieder ein bißchen zu studieren. Don hatte sie vermißt, aber in mancher Hinsicht war es eine Erleichterung, denn er hatte viel zuwenig Zeit, um ihr den Hof zu machen, und er wußte, daß sie später zurückkehren würde, wenn die Arbeit vielleicht weniger aufreibend war. In der Zwischenzeit warf er einen anerkennenden, wenn auch leicht gönnerhaften Blick auf das ›Melkmädchen‹, als er Thea beim Tee mit seiner Schwester traf, und Tessa seufzte, wenn sie daran dachte, wie leichtfertig er seine Chancen vertat.

Als sie Don jedoch mit den äußersten Schwierigkeiten überredet hatte, sie zu einer lokalen Tanzveranstaltung zugunsten der Kirche zu begleiten, freute sie sich zu sehen, daß Thea zum erstenmal Eindruck auf ihn gemacht hatte. Das Mädchen sah entzückend und ziemlich ›modern‹ aus in einem mehr als kurzen blauen Kleid, das mit der Farbe ihrer Augen harmonierte. Sie und Don tanzten den größten Teil des Abends miteinander.

Tessa ihrerseits freundete sich mit den Einheimischen an, die alle neugierig waren, ›die junge Frau aus der Stadt‹ kennenzulernen. Sie tanzte mehrmals mit Cyril und war ganz gerührt über sein Bedürfnis, von der abgereisten Sara zu sprechen. Es erstaunte sie auch, daß das Mädchen ihm offensichtlich regelmäßig schrieb und daß sie sehr gut miteinander auszukommen schienen. Ich frage mich, wie Don das gefallen würde, sagte sie zu sich selbst, nicht ganz frei von boshaften Hintergedanken.

Aber diese Veranstaltung war nahezu Tessas einzige Ablenkung, denn der August entwickelte sich zu einem betriebsamen und anstrengenden Monat. Das Lammen war in vollem Gange, und das erste Frühlingswetter brachte keine Besserung gegenüber dem Winter. Das Futter war knapp, und die Mutterschafe sträubten sich immer mehr, auch noch für ihre Jungen zu sorgen. Während einer stürmischen Woche wurde Tessa zur Pflegemutter von elf Lämmern, eilte viermal am Tag mit Saugflaschen hinaus, huschte durch den strömenden Regen, in wenig attraktives Ölzeug und Gummistiefel gekleidet und ständig von den Lämmern besabbert.

Schließlich gelang es Don, der gut mit den Schafen umzugehen verstand, sie alle aufzuziehen. Er hatte Lattenkisten gebaut, die unterteilt waren, so daß das Mutterschaf das fremde Lamm nicht treten oder belästigen konnte, das kleine Tier aber trotzdem noch von ihr trinken konnte. Und diese Gatter stellte er täglich auf das frische Gras, das er für diese Notfälle bereitgehalten hatte. Aber das brauchte viel Zeit, viel zusätzliches Futter und ständige Überwachung. Tessa schloß jetzt die Tür des freien Zimmers überhaupt nicht mehr auf. Sie hatte keine Zeit mehr zum Malen und auch sehr wenig Lust dazu. Am Ende des Tages saßen Bruder und Schwester noch ein oder zwei Stunden lesend am Feuer und fielen dann müde in ihre Betten. Sie sah die Schattenseiten des Lebens im Hinterland zur Winterzeit. Es gelang ihr, etwas Zeit zu erübrigen, um zu Alf und seinem Klavier zu eilen. Er machte jetzt wirkliche Fortschritte und zeigte grenzenlose Begeisterung. Er konnte sich jetzt ein bißchen auf sein Lehrbuch stützen und hoffte, zwar nicht das Klavierspielen in zwölf Lektionen zu lernen, aber vielleicht doch von diesem Buch und von Tessas Unterricht zu profitieren. Seine Farmarbeit beschäftigte ihn nur wenig. Irgendwie war es ihm gelungen, von seinem kleinen Viehbestand zu leben, wohl deshalb, weil er einen guten Gemüsegarten und ein Dutzend Legehennen hatte, die fröhlich auf der Farm umherliefen und auch in das Haus eingedrungen wären, hätte es nicht den gelben wachsamen Kater gegeben.

Tessa begann zu überlegen, wie Don eigentlich ohne ihr eigenes kleines Einkommen ausgekommen wäre. Jetzt war die magere Zeit auf allen Schaffarmen angebrochen, und besonders auf einer, wo alles für Verbesserungen gebraucht wurde. Sie war sicher, daß Jake ihnen mit Freuden Kredit gewährt hätte. Er schien durch ihre prompte Bezahlung seiner Rechnungen ausgesprochen verletzt zu sein und flehte sie mehr als einmal an, die Schulden doch stehenzulassen. Als Tessa dann während einer Trockenperiode mit ihrem kleinen Auto zu Jake gefahren war, packte er das Thema direkter an. Nach einer mit vielen Freunden durchzechten Nacht befand er sich in Katerstimmung, und als sie ihr Scheckheft hervorholte, wies er es mit einer gebieterischen Geste zurück und sagte: »Ich bin Ihr Freund, nicht wahr? Ich habe Sie die ganze Zeit beobachtet und gedacht: ›Diese schöne kleine Dame kämpft sich durch. Sie trägt ihren hübschen Kopf immer hoch und lacht, während sie wie ein ... wie ein Galeerensklave schuftet.«

»Unsinn. Ich arbeite nicht hart – und es gefällt mir. Und außerdem, was hat das mit dem Bezahlen der Rechnungen zu tun?«

»Als ob ich nicht wüßte, daß Sie zu kämpfen haben. Der alte Jake ist kein Dummkopf, und er beobachtet genau. Was kommt herein? Das möchte ich gerne wissen.«

»Hereinkommen?«

»Zahlen, zahlen, das ist alles, was Sie und Don tun, und nichts wird verkauft. Nicht einmal ein kleines Kalb.«

»Wir melken nicht, Jake, deshalb haben wir auch keine Kälber zu verkaufen, und ich bin froh darüber. Ich hasse es, wenn ich sehen muß, wie kleine, drei Tage alte Kälber weggekarrt werden, um sich schlachten zu lassen. Ich versuche immer wegzusehen, wenn sie in diesen Gattern vor den Toren warten. Oh, ich weiß, daß die Leute es tun müssen – man kann nicht alle Kälber aufziehen, wenn man melkt. Aber ich bin eben froh, daß wir es nicht zu tun brauchen.«

Ihr Mitleid mit den Kälbern war zuviel für Jake, und er sagte etwas rührselig, daß sie das zarteste Herz und das hübscheste Gesicht der Welt habe ... Hier brach Tessa in Gelächter aus. »Hübsch? Sie sollten mich sehen, wenn ich zu den Schafen hinausgehe.«

Das machte Jakes zutiefst sentimentale Stimmung vollkommen, und in der nächsten Minute sagte er zu ihr, sie habe kein

Recht, diese Arbeit zu tun, sie sei eine viel zu feine kleine Dame, um in diesen verfluchten Stürmen auf die Weiden hinauszugehen, und wenn er für sie sorgen dürfte, würde sie bei schlechtem Wetter nie wieder einen Fuß vor die Tür setzen.

»Kurz«, wie Tessa an diesem Abend Don erzählte, »ich würde ein beschütztes und glückliches Leben hinter der Ladentheke führen. Eigentlich ein Heiratsantrag, Don. Darauf kann ich mir etwas einbilden!«

»Wie bist du mit ihm fertig geworden?«

»Oh, ganz leicht. Er war so von seinem Gefühl und dem Whisky überwältigt, daß ich ihm nur herzlich dankte und sagte, ich würde seine Freundlichkeit nie vergessen, aber ich hätte mich dem Zölibat verschrieben.«

»Was, zum Teufel, hast du damit gemeint?«

»Ich habe keine Ahnung, aber er auch nicht. Es klang sehr eindrucksvoll, und er vergoß nur ein paar Tränen mehr über mein hartes Schicksal, nahm den Scheck für meine Rechnung an, und wir trennten uns als bessere Freunde denn je zuvor. Ich mache mir nur Sorgen, ob es ihm gelingen wird, mit der Post fertig zuwerden. Die angekommene habe ich schon für ihn sortiert und ihn auch dazu gebracht, seine Initialen auf die Frachtliste zu setzen, aber ich weiß nicht, wie er es machen wird, den Sack zurückzuschicken ... Ich habe jedoch einen netten Maori vor dem Laden getroffen, und er sagte, er würde dafür sorgen und, wenn es nötig wäre, Jakes Initialen nachmachen. Er hat es schon einmal getan ... Aber eigentlich tat es mir leid, daß ich sein Angebot nicht annehmen konnte. In diesem Laden würde man bestimmt etwas vom Leben sehen. Übrigens, wie war dein Tag heute?«

»Abscheulich. Ich wollte ein paar Pfosten zu dem Zaun hinausfahren und lud sie auf den Traktor, und dann blieb das verdammte Ding stehen. Morgen früh kommt ein Mann heraus, um ihn zu reparieren. Aber das bedeutet, daß wir zunächst einmal aufgehalten werden.«

Sie hatte Mitleid mit ihm. Don sah müde und ziemlich deprimiert aus. Sie wünschte, Sara wäre wieder zu Hause; ihr Bruder könnte etwas Ablenkung brauchen. Es hatte keinen Zweck zu hoffen, daß Thea etwas Zeit erübrigen könnte, um ihn aufzumuntern. Ihre Kühe kalbten schnell hintereinander, und sie molken jetzt schon vierzig, hatten Arbeit mit den Kälbern, die man behielt, und mit denen, die mit dem Lastwagen weggeschickt werden mußten – ein Geschäft, das Thea genausowenig gefiel wie Tessa. »Aber man muß einfach die Augen davor verschließen. Wir arbeiten für andere Leute, und wir müssen tun, was uns gesagt wird. Nicht, daß es eine andere Möglichkeit gäbe. Wir können sie nicht alle aufziehen. Trotzdem, es ist eine traurige Angelegenheit.«

Tessa hatte bei den vielen Zusammenkünften, wenn sie beide nach den Schafen sahen, das Mädchen liebgewonnen. Es gab keinen Zweifel, daß sie die ideale Frau für Don wäre, aber es hatte keinen Zweck, darauf zu hoffen. Bruder und Schwester würden wahrscheinlich wegziehen, bevor Don sie schätzen gelernt hatte. Wie Tessa wußte, war Cyril unzufrieden. Er haßte diese Plakkerei, zweimal am Tag melken zu müssen, und wie Thea sagte, sprach er immer öfter davon, daß er versuchen wollte, seinen Lebensunterhalt durch Schreiben zu verdienen.

»Als ob er das könnte. Das mag vielleicht als Nebentätigkeit angehen, aber wie kann man damit rechnen, ein anständiges Einkommen mit ein paar Geschichten und Gedichten zu verdienen, die hier und in Übersee angenommen wurden? Natürlich schreibt er jetzt einen Roman, aber das tun andere auch. Aber ich weiß nicht, wie lange ich ihn noch davon überzeugen kann, daß es besser ist, eine sichere Stellung zu haben, besonders eine. bei der man abends Freizeit hat.«

Tessa dachte, daß er zwar ein charmanter, junger Mann war und fast zu gut aussah, daß er vielleicht herrlich tanzte und sehr klug schrieb, jedoch als Bruder ohne erwähnenswerte Geldmittel für den Lebensunterhalt eine Belastung darstellte. Von Thea wußte sie, daß sie erst begonnen hatten, Kühe zu melken, nachdem er in anspruchsvolleren Stellungen versagt hatte, und daß sie den schwereren Teil der Arbeit übernahm. Sie stand in der Dunkelheit des frühen Morgens auf, brachte ihrem Bruder eine Tasse Tee ans Bett, und während er sich anzog und über sein Schicksal klagte, ging sie hinaus und brachte die Kühe in den

Stall. Und trotzdem war Thea nie niedergeschlagen oder schlecht gelaunt. Sie erzählte Tessa, daß sie ab und zu einen anständigen Wutausbruch habe, aber das war alles, was sie sich erlaubte, bevor ihr Sinn für Humor wieder die Oberhand gewann. Ja, sie wäre die perfekte Schwägerin gewesen. In Ermangelung dessen fiel Tessa das Los zu, die perfekte Schwester zu sein. Sie fiel in Dons Klagen über das unerhörte Verhalten des Traktors ein und fragte, was er am nächsten Tag tun würde.

»Ich kann nicht dableiben und auf den Burschen warten, der ihn reparieren soll, aber ich nehme an, daß er seine Arbeit versteht. Ich muß Hansard morgen früh an der Grenze treffen, denn wir wollen den Zaun zur Hälfte fertigmachen. Natürlich werden wir durch die Pfosten aufgehalten, und das ist eine schreckliche Belastung für uns.«

Voreilig wie immer hatte Tessa einen Einfall und sagte: »Es führt doch ein guter Weg dorthin, wo Ihr arbeitet, oder?«

»Ja. Ich habe ihn befestigt. Er ist so gut wie unsere Straße.«

Bei sich dachte Tessa, daß das nicht viel besagte, aber, da sie unglücklicherweise von dem Entschluß besessen war, eine echte Pionierin zu sein, fragte sie eifrig: »Wenn also der Weg wirklich gut und der Anhänger schon mit den Pfosten beladen ist, warum sollte ich ihn dann nicht zu Euch hinausfahren? Schließlich habe ich ihn damals gefahren, als wir die Kuh gerettet haben.«

Don machte ein bedenkliches Gesicht. Wie seine Schwester bei dieser Gelegenheit mit dem Traktor umgegangen war, hatte er noch in lebhafter Erinnerung. Er sagte: »Ich weiß nicht. Einen Traktor muß man wirklich kennen, und ich werde nicht da sein, um dir Anweisungen zu erteilen.«

»Oh, damit werde ich fertig. Natürlich ist es schon eine Weile her, und ich habe das verdammte Ding seitdem nicht mehr angefaßt, aber der Mechaniker kann mir sagen, was zu tun ist. Bevor er geht, werde ich ihn dazu bringen, den Traktor zu starten und mir die Gänge und alles zu zeigen.«

»Trotzdem, der Gedanke will mir nicht gefallen.«

Das spornte Tessa natürlich noch mehr an, und sie sagte erregt: »Aber Don, du weißt, ich kann ein Auto fahren. Warum um Himmels willen nicht auch einen Traktor?«

»Das ist nicht ganz dasselbe, altes Mädchen. Es ist nett von dir, es anzubieten, und wenn ich hier wäre und dir Anweisungen geben könnte, wäre es anders. Aber ich glaube nicht, daß du es versuchen solltest.«

Damit war es beschlossene Sache. Tessa sprach nicht mehr darüber, aber sie nahm sich vor, ihren Bruder und Tom Hansard zu überraschen. Der Mechaniker würde da sein. Sie würde damit fertig werden, und nach allem, was sie in diesem Winter auf der Farm getan hatte, war es eigentlich recht undankbar von Don, an ihren Fähigkeiten zu zweifeln. Inzwischen war es wohl besser, es dabei zu belassen und sich auf ihre begeisterte Bewunderung zu freuen, wenn sie am Steuer dieses Ungeheuers angefahren kam und ihnen die Pfosten brachte.

Der junge Mann, der den Traktor reparieren sollte, kam im Laufe des Vormittags an, aber nicht zeitig genug, um Don noch zu sehen. Tessa war von ihm nicht sehr beeindruckt. Er war jung und schrecklich nachlässig. Trotzdem, sie nahm an, daß er etwas konnte, und obwohl er wie ein Dummkopf aussah, kam sie zu dem Schluß, daß die Kenntnis von Maschinen vielleicht nicht mit normaler Intelligenz Hand in Hand gehen mußte. Sie brachte ihm eine Thermosflasche mit Tee, und er sagte: »Er wird bald in Ordnung sein«, aber eine gute Stunde oder etwas mehr würde er bestimmt noch brauchen. Tessa ging ins Haus zurück, trank starken Kaffee und fühlte sich nervös. Wie gewöhnlich war sie zu ehrgeizig gewesen; sie begann zu hoffen, daß irgend etwas Unerwartetes Don zurückbringen würde.

Eine halbe Stunde später hörte sie erstaunt, wie ein Wagen im Hof startete. Als sie ans Fenster stürzte, kam sie gerade noch rechtzeitig, um den Wagen des Mechanikers aus dem Blickfeld verschwinden zu sehen, der mit leichtsinniger Geschwindigkeit über die schlammige Straße raste. Der gräßliche junge Mann war vor der Zeit fertig geworden und jagte nun davon, wahrscheinlich, um ein ähnlich unsympathisches Mädchen zu treffen. Es war unmöglich, ihn noch aufzuhalten. Einen Augenblick lang ließ Tessa ihren herrlichen Plan fast fallen. Ich werde überhaupt nicht wissen, was zu tun ist. Oh, was bin ich für ein Idiot, daß ich nicht vorher daran gedacht habe. Dann kehrte ihr Mut oder vielleicht der Wunsch anzugeben zurück, und sie sagte fest: »Unsinn. Genau wie ein Auto. Alle Farmerfrauen können Traktoren fahren, da bin ich ganz sicher«, und zögernd ging sie zu der kleinen flachen Koppel hinunter, wo das Ungeheuer lauerte. Der Anhänger, den Don gestern beladen hatte, war noch am Traktor befestigt, und mit dem Gefühl, sehr klein und dumm zu sein, kletterte sie auf den gefährlichen Sitz und fragte sich, wie sie ihn starten sollte. Sie versuchte verschiedene Dinge, und rein zufällig gelang es ihr, einen Fuß auf die Bremse und den anderen auf die Kupplung zu setzen. Dann legte sie den Schalthebel in den dritten Gang, wie sich später herausstellte, öffnete die Starterklappe etwas und hob beide Füße hoch. Sofort machte die Maschine wie ein erschrockener Elefant einen Sprung nach vorne. Dann verfiel sie in ein gemäßigteres Tempo, und es gelang Tessa, sie auf das offene Tor zuzusteuern. Sie sah es ängstlich an; es schien sehr schmal zu sein, und sie näherte sich ihm in einem ungünstigen Winkel. Glücklicherweise kam sie nicht auf die Idee, rückwärts zu fahren; sie beschloß, langsam um die Koppel herumzufahren und dann gerade auf das Tor zuzukommen.

Sie rollte ein paar Meter weit und sah dann zu ihrer Bestürzung, daß sich der Anhänger losgemacht hatte. Es hatte keinen Zweck, beim Zaun ohne ihre Ladung anzukommen. Irgendwie mußte sie versuchen, ihn zu befestigen. Aber dann kam sie in doppelte Schwierigkeiten. Der Traktor wollte nicht stehenbleiben. »Unsinn«, sagte sie laut, »man muß nur die Zündung ausschalten, wie man es in einem Auto macht. Dann bleibt er stehen.« Aber es war nichts gut. Der Traktor hatte einen Dieselmotor, so daß dieses Manöver wirkungslos blieb, und Tessa sah, wie sie unerbittlich auf den Zaun zurollte.

Später mußte sie zugeben, daß sie in diesem Moment von Panik ergriffen wurde; sie reagierte nämlich wie jede normale Frau und überhaupt nicht wie eine heldenhafte Pionierin. Am schlimmsten war, daß die Maschine plötzlich ein volltönendes Gebrüll von sich gab, und obwohl sie den Hebel der Starterklappe verzweifelt hin und her bewegte, änderte sich nichts. In dem Versuch, den Gang herauszunehmen, bediente sie wie wahnsinnig die verschiedenen Pedale. In ihrer Aufregung vergaß sie, auf welcher Seite sich die Kupplung befand, und trat hart auf die Bremse. Zu ihrem Schrecken gab das Ungeheuer ein herzzerreißendes Stöhnen von sich, und eine Rauchwolke quoll aus seinen Tiefen hervor. Das gab ihr den Rest, und Tessa verlor den Kopf. Sie hatte das ganze Ding in Brand gesetzt; Dons wertvoller Traktor würde vor ihren eigenen Augen zerstört werden. Danach würde sie wahrscheinlich selber in Flammen aufgehen, denn sie war sicher, daß es ihr nie gelingen würde, über dieses Rad zu springen. Der arme Don würde von seiner Arbeit zurückkehren, um die Asche seiner Schwester und seines Traktors innig miteinander vermischt zu finden. Kurz, Tessas Phantasie ging mit ihr durch.

Aber inzwischen hatte sie ein Rest von gesundem Menschenverstand automatisch dazu gebracht, das Fahrzeug von dem Zaun wegzusteuern, während sie alle paar Minuten über die Seite hinunterschaute und auf das Knistern der verschlingenden Flammen wartete. Es kam nicht, aber es roch nach verbranntem Gummi, und ihre Verwirrung wurde noch schlimmer durch die Tatsache, daß der Traktor, vom Hindernis der Bremse befreit, wieder an Geschwindigkeit gewann. Was konnte man mit einem vom Teufel besessenen Ungeheuer tun, das weder auf Bremsen noch auf das Abschalten der Zündung reagieren wollte? Hätte sie einen klaren Verstand behalten, so hätte sie sicher bemerkt, daß sie den Gang herausnehmen mußte. Aber sie war jetzt zu kopflos, um daran zu denken, daß sich die Kupplung genau auf der anderen Seite als in einem Auto befand. Ich kann nichts anderes tun, dachte sie hoffnungslos, als hier zu sitzen und das Ding wenigstens davor zu bewahren, daß es zerschellt. Ich muß einfach immer weiter in der verdammten kleinen Koppel im Kreis herumfahren. Was hatte dieser verdammte Schwachkopf mit dem Traktor gemacht, den er reparieren sollte? dachte sie wütend. Er war doch damals phantastisch gelaufen, und sie war so gut mit ihm fertig geworden, erinnerte sie sich voller Stolz und vergaß völlig, daß Don jeden Handgriff vorgeschrieben hatte. Warum trotzte er ihr jetzt in dieser dummen Art und Weise?

Nur weil dieser Kerl ihn kaputtgemacht hatte, sagte sie zu sich selbst. Mit grimmiger Entschlossenheit drehte Tessa weiter Runde um Runde in der Koppel, unfähig, dem Unglück zu begegnen, wie sie es in einem Auto getan haben würde. Dieses Ding war nicht wie ein Auto. Es war ein heulender, tobender Dämon, und sie war dumm gewesen, sich ihm zu nähern.

Diese Stimmung hielt an, bis sie sieben Runden um die Koppel gedreht hatte. Dann wurde sie etwas ruhiger und begann zu überlegen, wieviel Benzin im Tank war. Wenn er voll ist, muß ich einfach weiterfahren, bis Don nach Hause kommt, dachte sie, denn sie hatte beschlossen, daß sie nichts mehr dazu bringen würde, eines dieser Pedale zu bedienen. Sie würde das ganze Ding nur endgültig in Brand setzen. Aber wenigstens konnte sie den Traktor steuern. Das war ein Trost; sie hatte ihn nicht zertrümmert und ihn auch daran gehindert, einen verderblichen Weg einzuschlagen und den Zaun einzureißen, bevor er sich selbst den nächsten Hügel hinunterstürzte. Zumindest in dieser Hinsicht benahm sie sich ehrenwert. Aber ihre Selbstachtung hatte einen schweren Schlag erlitten. War es möglich, daß sie schließlich doch nicht zu einer richtigen Pionierin geboren war? Hatte dieser langweilige Edward Hall recht gehabt, als er ihr einmal sagte, daß ihre Augen immer größer waren als ihr Magen? Tessa fühlte sich sehr deprimiert und verlassen. Meilenweit war niemand. Don war draußen am Zaun, in seine Arbeit versunken und völlig unbehelligt von der Katastrophe, die über seine selbstlose Schwester gekommen war; über ihre Straße fuhr im Winter kein Besucher – außer, wenn man sie nicht brauchen konnte, fügte sie hinzu. Sie würde stundenlang um diese verdammte Koppel herumfahren, und jetzt empfand sie eigentlich zum erstenmal die plötzliche Furcht vor der Einsamkeit und der Abgeschiedenheit dieses Ortes.

Aber gerade als ihre Stimmung den Tiefpunkt erreicht hatte – einen Tiefpunkt, den sie, solange sie denken konnte, nicht erlebt hatte –, sah sie, wie ein Auto auf den Hof fuhr und ein Mann ausstieg. Sie brauchte eine Minute, um Kenneth Munro zu erkennen, und dann dachte sie verzweifelt: Er wird keine Hilfe sein. Wahrscheinlich versteht er genauso viel von

Traktoren wie ich. Aber ihr Stolz hielt sie davon ab, um Hilfe zu schreien. Die Frauen im Hinterland verlieren ihren Kopf nicht, sagte sie zu sich selbst. Sie regen sich bei Katastrophen wie Feuer und Hochwasser und Tod nicht auf, und gelassen fuhr sie weiter. Aber er hatte sie gesehen; er konnte zumindest kaum umhin, sie zu hören. Er machte halt, stand still und starrte sie an. Tessa gab ihrem inneren Drang nach und winkte, hoffte jedoch, daß es wie eine unbestimmte und heitere Geste wirken würde. Offensichtlich war das nicht der Fall, denn Munro begann, in ihre Richtung zu rennen. Als er näher kam, erwartete er wohl, sie würde anhalten, und sah erstaunt aus, als sie rief: »Ich kann das Ding nicht zum Stehen bringen. Alles ist blockiert. Können Sie helfen?«, und dann raste sie vorbei.

Bei ihrer nächsten Runde schrie er: »Schalten Sie die Zündung ab«, und sie rief verächtlich zurück: »Das habe ich getan – aber das hilft nichts.« Dann hörte sie verärgert seinen nächsten Zuruf: »Dann treten Sie auf die Bremse.« »Das habe ich versucht«, brüllte sie unhöflich. »Ich habe alles versucht«, und als sie dann im Vorbeifahren sein Gesicht sah, kam ganz plötzlich Tessas Sinn für Humor zurück. Sie hatte keine Angst mehr; vielleicht war er ziemlich hilflos, aber zumindest war sie nicht mehr allein. Er würde sie aus den Flammen holen, dachte sie romantisch, und dann lachte sie zum erstenmal. Immer wieder versuchte er, neben ihr herzurennen. Glücklicherweise ist er dünn und sportlich, und das ist ziemlich tröstlich, sagte sie zu sich selbst und fügte dann praktisch hinzu: »Aber nichts bringt dieses verdammte Ding zum Halten.«

Er rief verzweifelt: »Ich verstehe nichts von Traktoren. Es ist besser zu springen. Ich fange Sie auf!« Aber sie hatte gräßliche Geschichten von Menschen gehört, die versuchten, von Traktoren zu springen und dann unter ihnen landeten. Der Gedanke, nach hinten zu klettern, kam ihr nicht.

Sie schrie: »Wenn ich springe, wird das verdammte Ding in Trümmer gehen, und außerdem habe ich Angst.«

Er keuchte vor Mitgefühl und Erschöpfung, und es gelang ihm dann zu rufen: »Wie lange wird das Benzin reichen?«

»Weiß ich nicht. Wahrscheinlich bis zur Dunkelheit«, und zu

ihrem eigenen Ärger begann sie zu lachen.

Mit diesem Lachen kehrte die normale Tessa zurück, und sie dachte wieder daran, freundlich zu sein.

»Gehen Sie ins Haus und machen Sie sich etwas Tee. Es hat keinen Zweck, auf mich zu warten«, rief sie bei ihrer nächsten Runde, und er antwortete heroisch: »Ich würde nicht im Traum daran denken, Sie zu verlassen.«

Das belustigte sie noch mehr, denn was nutzte er schon? Derselbe Gedanke kam ihm offensichtlich auch, denn nach drei Versuchen, sich verständlich zu machen, gelang es ihm zu sagen: »Zumindest bin ich ein moralischer Halt«, und er sah ganz betroffen aus, als Tessa so sehr lachte, daß sie fast zu lenken vergaß.

Als diese abgerissene Unterhaltung schon neun Runden lang gedauert hatte, rief er plötzlich: »Gott sei Dank, es kommt jemand ... Oh, das nützt nichts, es ist eine Frau.«

Aber Tessa hatte den Schlapphut mit seinen unbeschreiblichen Blumen erkannt, und ihr Herz schlug höher. Doch würde Alf etwas nützen? Sie zweifelte daran. Hier tat sie ihm Unrecht. Alf starrte sie an, wie Munro es getan hatte, und fing dann an, in einem Tempo loszurennen, das sie nie von ihm erwartet hätte, und kam gerade an, als sie an ihm vorübersegelte.

»Ich kann ihn nicht anhalten, Alf«, brüllte Tessa unnötigerweise, und er brüllte zurück: »Nehmen Sie den Gang heraus«, nur um die verzweifelte Antwort zu erhalten: »Das kann ich nicht. Ich habe es versucht, und ich kann es nicht.«

»Dann springen Sie heraus. Nicht über das Rad. Seien Sie nicht dumm. Klettern Sie über die Rückseite.«

»Aber was geschieht mit dem Traktor? Er wird kaputtgehen, und er ist gerade repariert worden.«

»Genauso sieht er auch aus ... Dieser Dummkopf von einem Mechaniker ... Ich kenne ihn.« Aber Alf sprach mit Munro, nicht mit ihr. Tessa gab er nur kurze Anweisungen. »Klettern Sie auf die Rückseite, und springen Sie. Es wird Ihnen nichts passieren. Ich werde oben sein, bevor Sie unten sind, und ich werde damit fertig.«

Tessa schnappte vor Bewunderung nach Luft. Hier kam ein

Zug zum Vorschein, den sie nie bei Alf vermutet hatte, eine starke, fähige, meisterhafte Seite. Jetzt brüllte er sie eigentlich ziemlich ärgerlich an.

»Kommen Sie heraus, sage ich Ihnen. Ich bin fertig. Dem Traktor wird nichts passieren.«

Die schreckliche Wahrheit war, daß Tessa nicht herausspringen wollte. So sehr sie den Traktor auch haßte, blieb sie lieber bei ihm, als über die Rückseite zu klettern, um irgendwie herunterzukommen. Sie fühlte sich wie beim erstenmal, als sie in der Schule vom Sprungbrett ins Wasser gesprungen war. Das hätte sie ihm gesagt, aber wie kann man das alles zwei Männern zubrüllen? Mit schrecklichem Zögern tat sie, was Alf ihr sagte, begab sich schnell in den hinteren Teil und sah auch schon, wie er ebenso schnell auf ihren Sitz kletterte. Da sie jetzt an Erlösung, an Befreiung von dem schrecklichen Ungeheuer dachte, sprang sie. Das war nicht nötig, die Entfernung war nicht groß, und sie hätte sich würdevoll hinunterlassen können. Aber statt dessen sprang sie, und Munro, der sich endlich als hilfreich erwies, stürzte herbei, um sie aufzufangen. Aber Tessas Körper bewegte sich im Fünfzehn-Kilometer-Tempo weiter, während ihre Füße fest auf dem Boden standen. Das Ergebnis war, daß sie stolperte und nach vorne auf ihr Gesicht fiel, wobei sie ihren Retter mitriß, genau in dem Augenblick, als der Traktor sein Tempo verlangsamte und mit ungeheurem Keuchen und Schütteln zum Stillstand kam. Tessa stand nicht auf. Auch Munro nicht. Er war zwar nicht schlimm hingefallen, aber auch fünfzig Kilo können ein ganz schönes Gewicht sein. Alf hingegen war völlig Herr der Lage. Er sah das Paar an, das auf dem Boden saß, und wandte sich streng an Tessa: »Warum mußten Sie herumspringen wie ein verflixtes Kalb?«

Das war ein wenig schmeichelhafter Vergleich, und Tessa nahm ihn übel. »Sie haben gesagt, ich sollte herunterspringen«, protestierte sie, und Alf schüttelte über den weiblichen Widerspruchsgeist den Kopf.

»Sie müssen sich nicht benehmen, als wäre es ein dummes Trapez und Sie sprängen mitten in der Luft«, kommandierte er, und Tessa wechselte schnell das Thema.

»Aber Alf, wie haben Sie ihn zum Stehen gebracht? Ich habe es immer wieder versucht.«

»Ich habe natürlich den Gang herausgenommen. Warum haben Sie das nicht getan?«

»Das habe ich ja versucht. Ich habe auf die Kupplung getreten, und dann kam Rauch heraus.«

»Sie haben auf die Bremse getreten. Wußten Sie nicht, daß dieser Traktor die Kupplung auf der anderen Seite hat? Wenn Sie das nicht wußten, dann haben Sie kein Recht, an diesem Ding herumzufummeln.«

»Ich habe nicht daran herumgefummelt. Ich wollte Don helfen und die Pfosten zum Zaun hinausfahren«, sagte sie ziemlich traurig.

Alf schmolz sofort dahin. »Sie hatten kein Recht, ihn anzufassen, ein kleines Ding wie Sie. Aber lassen Sie mich herausfinden, was nicht stimmt, obwohl ich es mir denken kann«, und jetzt begann er das Innere des Ungeheuers zu untersuchen.

»Habe ich mir gedacht. Der verdammte Kerl hat den Bolzen nicht richtig hineingesteckt.«

»Bolzen? Was für einen Bolzen?« Diese Frage kam von Munro, der endlich aufgestanden war und versuchte, männliches Interesse und sogar einige Kenntnisse zu zeigen.

»Der Bolzen, der in der Verbindung zwischen dem Hebel der Starterklappe und der Maschine steckt. Er ist herausgefallen, und die Starterklappe hat sich weit geöffnet. Warten Sie nur, bis ich diesen Burschen treffe. Hätte Sie umbringen können, wenn die Koppel nicht flach gewesen wäre und Sie nicht Ihren Kopf behalten hätten und hier 'rumgefahren wären.« Jetzt stand er auf ihrer Seite, voll widerwilliger Bewunderung. Als er nun den Schaden behoben hatte, sagte er: »Soll ich die Pfosten zum Boß 'rausfahren, oder wollen Sie es noch einmal versuchen?«

Tessa vergaß die unerschrockenen Pionierfrauen völlig und wurde ganz weiblich. »O nein. Nie mehr wieder . . . O Alf, würden Sie das wirklich tun?«

Natürlich würde er es tun, und er tat es auch. Als Tessa und Munro langsam den Hügel zum Haus hinaufgingen, merkte sie, daß jetzt die Gegenreaktion kam, und sie setzte sich plötzlich hin, um in wildes Gelächter auszubrechen. Er sah sie verlegen und ängstlich an, und das brachte sie noch mehr zum Lachen.

»Ist schon gut. Ich bekomme keinen hysterischen Anfall ... aber es war so komisch.«

»Ich beglückwünsche Sie zu Ihrem Sinn für Humor. Ich fand es ziemlich furchterregend.«

»Oh, ich hatte Angst – ich war richtig in Panik, sonst hätte ich mich an die Kupplung erinnert. Aber nachdem Sie gekommen waren, schien es besser zu sein. Es war – na ja, es war vorher ziemlich einsam ... Lieber Himmel, was für eine rührselige Geschichte! Die gräßliche Wahrheit ist, daß die Nerven eben mit dreißig nicht mehr so gut sind wie mit fünfzehn.«

»Dreißig? Das kann ich nicht glauben. Ich wünschte, ich wäre mit Vierzig noch so flink.« Er war genauso offen und einfach wie bei ihrem ersten Zusammentreffen, und sie mochte ihn gerne. Langsam stand sie auf.

»Wie nett von Ihnen. So ein Kompliment hebt die Moral. Jetzt geht es mir wieder gut, aber ich werde nie vergessen, wie ich versuchte zu hören, was Sie sagten, und wie Sie mir nachrannten, und ich von zehn Wörtern nur eines verstand ...«

Er lachte auch, und als sie eine halbe Stunde später im Eßzimmer Tee tranken, belächelten sie die ganze Episode. Jetzt stand Munro auf und blickte aus dem Fenster.

»Eine herrliche Aussicht. Ich bin nicht überrascht, daß Sie dieser Ort reizt.«

»Ja, aber es ist höchste Zeit, daß ich aufhöre, die Aussicht zu bewundern, denn ich muß diese Decke streichen. Irgendwie bleibt nie Zeit dazu. Der Winter war schrecklich. Ich bin froh, daß er fast vorüber ist.«

»Bis nächstes Jahr. Aber ich nehme an, daß Ihr Bruder dann Hilfe haben wird.«

Tessa sah skeptisch aus. »Nächstes Jahr? Oh, ich weiß nicht. Ich schaue nie in die Zukunft. Bis zum nächsten Jahr kann alles mögliche passieren.«

»Eine vernünftige Philosophie. Ich halte auch nichts davon, sich zuviel Sorgen über eine Zukunft zu machen, die wir nicht voraussehen können. Trotzdem kann ich Sie mir hier nicht als ständigen Bewohner dieser Farm vorstellen.«

»Warum nicht?«

»Weil Sie eine Künstlerin sind.«

»Oh, das ... Ich glaube kaum, daß ich jemals wieder ernsthaft malen werde. Ich liebe dieses Leben, aber wenn Don natürlich heiratet, dann werde ich ... dann werde ich ... oh, ich weiß nicht, was ich tun werde. Es macht mehr Spaß, es nicht zu wissen.«

Er lachte, ließ sich aber nicht abbringen. »Sie werden nicht immer damit zufrieden sein, Ihre Talente zu vergraben. Sagen Sie mir, warum haben Sie die Kunst aufgegeben – zumindest im Augenblick?«

Sie wich aus. »Oh, ich dachte, eine Pause würde mir guttun. Ich hatte das ganze Kunstgerede und die Einstellung und den Jargon satt. Und dann passierte etwas, was es mir noch mehr verleidete.« Sie zögerte und erzählte ihm fast ihre Geschichte. Aber nein. Keine Geständnisse. Dafür war sie zu alt. Sie fuhr fort: »Und dann beschloß Don, diese Farm zu kaufen, und ich wollte ihn nicht alleine gehen lassen. So habe ich telegrafiert, daß ich mitkommen würde. Es wurde alles in fünf Minuten entschieden. So habe ich mein Haus in der Zeitung angeboten, und es hat sich sofort verkauft. Das hat mir eigentlich einen Schock versetzt«, lachte sie.

»Trotzdem, ich glaube nicht, daß Sie lange glücklich sein werden, wenn Sie nicht malen. Ich habe mir schon überlegt ... überlegt ... Aber lassen wir das.«

»Fahren Sie fort. Was haben Sie überlegt?«

»Das hat Zeit bis später. Wollen Sie und Ihr Bruder mich nicht in meinem alten Haus besuchen kommen und meine Aussicht und meine Arbeit sehen? Ich hoffe, daß es Ihnen gefallen wird, aber wir werden sehen«, es war nur ärgerlich, daß er nicht mehr darüber sagen wollte.

Sie zögerte. »Das würde ich sehr gerne tun, aber es ist schrecklich schwierig, Don zu bewegen, sich freizumachen.«

»Dann kommen Sie alleine«; sie war nicht der Typ, der sich

albern zierte, und in ihrem Alter . . . Aber sie zögerte nicht.

»Gut. Ich komme nächste Woche«, und sie machten sofort einen Tag aus. Bevor er ging, kam er auf die Ereignisse des Nachmittags zurück.

»Ich mochte diesen Alf gerne. Auf der Stelle. Und er war soviel nützlicher als ich. Aber warum trägt er diesen Damenhut?«

»Er liebt ihn, und er nimmt ihn nie ab, außer wenn er zu Bett geht oder Klavier spielt.«

»Klavier spielt? Großer Gott!«

»Ja. Erinnern Sie sich nicht, wie ich Ihnen an dem ersten Abend, als wir uns trafen, von dem Häuschen oben an der Straße erzählte? Das gehört Alf. Er hat ein gebrauchtes Klavier gekauft, als er einmal beschwipst war, und er liebt es. Ich helfe ihm ein bißchen, und sein gelber Kater auch. Er sitzt auf seiner Schulter.«

Er lachte. »Sie begeistern sich für sonderbare Menschen, nicht wahr!«

»Na ja, Sie müssen zugeben, daß sie im Hinterland ganz anders sind.«

»Sind die Menschen nicht überall anders?«

»Ja, aber hier noch mehr.«

»Trotzdem, es ist Zeit, daß Sie an Ihre Arbeit zurückgehen und aufhören, die Pionierin zu spielen.«

Sie war entrüstet. »Spielen? Ich bin eine Pionierin.« Dann erinnerte sie sich an ihr Abenteuer vom Nachmittag und brach in Gelächter aus.

8

Tessa sagte: »Mag ja sein, daß der Bulle friedlich ist. Sanft wie ein Lamm, wie du sagst. Mag sein, daß er nur spielen will. Aber ich habe nicht den Wunsch, mit einem Bullen von ungefähr einer Tonne zu spielen. Ich wünschte, er müßte nicht in dieser Koppel vor unserem Haus bleiben.«

»Er wird nicht auf dich losgehen. Nimm einfach keine Notiz von ihm und geh' an ihm vorbei.«

Tessa empfand das als ausgesprochene Strapaze für ihre Nerven, aber sie mußte dem wohl so begegnen, wie eine Pionierin allen Gefahren begegnete. Es stimmte, daß der Bulle sich nicht für sie zu interessieren schien, aber sie mochte es nicht, wie er seinen enormen Kopf hob und sie beobachtete, wenn sie vorüberging. Instinktiv schlich sie um die Koppel und hielt sich so nah wie möglich am Zaun. Don hatte gut reden; er hatte immer seine Hunde bei sich und konnte sie auf das Vieh jagen, wenn es versuchte anzugreifen. Sie konnte sich auf nichts verlassen, außer auf eine gewisse Geschicklichkeit im Zäuneklettern.

Aber als sie eines Morgens kurz nach dem Zwischenfall mit dem Traktor hinausschaute, sagte sie laut: »Das Biest ist im Hof. Es muß ihm gelungen sein, das Gatter aufzustoßen. Da kann ich ihn nicht lassen. Das andere Gatter ist offen, und er könnte in den Busch entwischen. O lieber Himmel – ich glaube, der Moment ist gekommen, um Heldenmut zu beweisen.«

Die Heldin zog gerade ihre Gummistiefel an und schnappte sich einen Besen, als sie einen Wagen den Weg entlang kommen hörte. Mit ungeheurer Erleichterung dachte sie: wer immer das sein mag, er wird ihm den Weg versperren ... Aber trotzdem werde ich besser hinuntergehen und helfen, ihn zurückzutreiben.

Dann war sie entsetzt, als sie ein Brüllen hörte, und eilte auf die Veranda hinaus. Es war kein Auto, das sie kannte, und einen Moment lang war sie enttäuscht, daß der Besucher nicht Kenneth Munro war. Munros Wagen tat zwar seinen Dienst, war jedoch in keiner Weise elegant wie dieses luxuriöse Auto. Wer überraschte sie wohl unter diesen Umständen?

Wer es auch immer war, der Bulle mochte ihn jedenfalls nicht, und er mochte den Bullen auch nicht. Er stampfte jetzt auf den Boden und starrte den Wagen an. Der Fremde hatte die Türe geöffnet, bereitete sich darauf vor auszusteigen, und bei seinem Anblick brüllte der Bulle erneut und machte sich zum Angriff bereit. Der Besucher zog sich klugerweise zurück und schlug die Wagentüre zu. Das faßte der Bulle als Herausforderung auf und griff das große, glänzende Ungeheuer an, in dem sein Feind unfair lauerte. Tessa, die jetzt den Hügel hinunterlief, hielt den Atem an und blieb fasziniert stehen. Dann schüttelte sie sich vor Entsetzen, als sie sah, daß der Bulle die makellose Oberfläche wirklich eingedrückt hatte. Noch immer um seine Beute gebracht und wütend über das Hindernis, bereitete sich der Bulle darauf vor, erneut anzugreifen, aber diesmal drückte der Fahrer verzweifelt auf die Hupe und gab ein derartiges Sirenengeheul von sich, daß der Angreifer unsicher stehenblieb, wobei sein Kopf von der einen Seite auf die andere schwankte und seine Augen rot vor Wut waren.

Tessa nahm alle ihre Kräfte zusammen und rannte den Hügel hinunter, wobei sie wütend und völlig außer Atem rief: »Friedlich wie ein Lamm, wirklich ... Nur verspielt ... Na warte, bis ich Don erwische.«

Der Lärm ging weiter, denn der Bulle gab ab und zu ein verwirrtes Gebrüll von sich, und die Hupe heulte wütend. Tessa faßte ihren Besen fester, fühlte, daß ihre letzte Stunde gekommen war, und rannte weiter. Schließlich mußte man einen belagerten Gast retten.

Als sie den Hof erreichte, schien die schlimmste Wut des Bullen abgeklungen zu sein. Er schlich jetzt um den Wagen herum, sein riesiges Gesicht nahe am Fenster, dahinter eine zusammengekauerte Gestalt. Tessa rannte schnell zum Gatter und öffnete es. Irgendwie mußte sie ihn hindurchtreiben und darauf achten, daß es diesmal richtig verschlossen wurde. Sie holte tief Luft und rückte äußerlich mutig, aber mit klopfendem Herzen vor.

Der Bulle drehte sich um, erblickte sie, und Tessa kam zu dem Schluß, daß ihr letztes Stündlein geschlagen hatte, und sah schon ihren verstümmelten Körper auf dem schlammigen Hof liegen. Aber mit dem völlig unvernünftigen Verhalten, das die meisten

Tiere zuweilen kennzeichnet, hatte das Biest plötzlich jedes Interesse an dem Auto verloren, drehte sich zum Heuschuppen um und schien völlig damit beschäftigt, die Ballen zu zählen. Tessa machte dem unsichtbaren Fahrer aufgeregte Zeichen, seine Hupe loszulassen, und schlich sich leise zum Schuppen, um ein Bündel Heu aus einem vorstehenden Ballen zu ziehen. Der Bulle beobachtete sie interessiert und folgte ihr brav, als sie zum Tor ging. Das war ein unangenehmer Augenblick. Tessa wollte rennen, denn sie dachte an den mehrere Zentner schweren Bullen, der ihr auf den Fersen war, und an ihren freien und ungeschützten Rükken. Aber sie ging weiter, und schließlich gelangte sie in die Koppel und warf am Gatter das Heu zu Boden. Dann trat sie dankbar zur Seite und beobachtete, wie das Ungeheuer friedlich hineinging und zu fressen begann. Ihr Herz erwärmte sich für ihn. Don hatte recht. Er war wirklich friedlich. Offensichtlich hatte er sie erkannt und mochte sie. Das war ein erfreulicher Gedanke, aber trotzdem schlüpfte sie sehr schnell und leise durch das Tor und verschloß es sicher. Dann ging sie auf das Auto zu, dessen Türe sich öffnete und dessen Fahrer im Begriff war auszusteigen.

Ein gräßlicher Feigling, mir nicht zu helfen, dachte sie, aber jedenfalls habe ich ihm das Leben gerettet.

Dann sah sie, wer es war, und sie wünschte, sie hätte es nicht getan. Es war Edward Hall, der ihr entgegenkam, hochgewachsen, selbstsicher, elegant und in den letzten zehn Jahren völlig unverändert geblieben.

Sie stand reglos da, unfähig, das zu begreifen. Warum war er nicht in Malaysia? Und vor allem, warum war er hier?

Aber es war Edward. Als er jetzt auf sie zukam und seine Hand ausstreckte, sah sie, daß er gealtert war, aber nicht zu seinem Nachteil. Sein Haar war etwas ergraut, aber nicht gelichtet, und sein schlankes, intelligentes Gesicht war sonnengebräunt – wahrscheinlich, dachte Tessa, vom tropischen Himmel. Seine ersten Worte waren frostig.

»Was für ein abgelegener Ort. Was hat dich nur geritten, hierher zu gehen? Und das ist eine gefährliche Bestie.«

Kein Wort des Dankes oder des Lobes, weil sie sich so mutig verhalten hatte, und sein Blick, der zunächst auf sie und dann auf das Haus fiel, war geringschätzig. Sofort dachte Tessa unglücklich an ihre alten Hosen, an ihre dicke Wolljacke, das nicht vorhandene Make-up. Sie war von Minderwertigkeitskomplexen erfüllt, die Edward vor zehn Jahren immer bei ihr verursacht hatte.

Um sich zu verteidigen, sagte sie: »Ausgerechnet du! Ich müßte dich eher fragen, was dich hierher bringt.«

Er antwortete nicht. Er war damit beschäftigt, die Beule in seiner glänzenden Kühlerhaube zu untersuchen. »Das Biest hat einen Kopf wie ein Sturmbock«, sagte er verärgert.

»Aber keine Hörner«, erwiderte Tessa, wild entschlossen, immer die beste Seite der Dinge zu sehen. »Nun, wenn es ein Ayrshire gewesen wäre, hätte er bestimmt ein Loch durch die Haube gebohrt.«

Er war nicht getröstet. »Schlimm genug. Haltet ihr ihn immer im Hof? Zumindest muß er Besucher abschrecken.«

Nicht diejenigen, die man abschrecken möchte, dachte Tessa verdrießlich; aber laut wiederholte sie: »Was hat dich hierher gebracht?«

Er antwortete kurz: »Du natürlich; obwohl ich keine Vorstellung davon hatte, wie schlecht die Straße ist. Die letzte halbe Meile ist eine Schande.«

Sie lachte fast, als ihr klar wurde, daß er sie nicht so gerne besucht hätte, hätte er den schrecklichen Zustand, in den sein Auto geraten würde, voraussehen können. Trotzdem, das war ein Trost. Keine Anzeichen für die ungestüme Rückkehr eines früheren Verehrers. Sie sagte gleichgültig: »Oh, der Weg ist schon wunderbar ausgetrocknet. Du hättest ihn vor einem Monat sehen sollen.«

Er antwortete nicht. Er hatte schon immer ihre Angewohnheit gehaßt, bei allem die gute Seite zu sehen, und sein Auto hatte offensichtlich genug Schaden gelitten. Bemüht, ihre Stimme herzlich klingen zu lassen, sagte sie: »Komm mit zum Haus, ich mache uns einen Kaffee. Don ist draußen auf der Farm. Das ist er immer.«

Schweigend gingen sie den Hügel hinauf. Tessa brannte darauf, ein Dutzend Fragen zu stellen – hatte er Malaysia verlassen? War er verheiratet? Wie hatte er herausbekommen, wo sie war? Und vor allem, warum, oh, warum, war er gekommen? Statt dessen sagte sie inkonsequent: »Es tut mir leid, aber ich glaube, du kannst es ausbeulen und ein bißchen Farbe darüberstreichen.«

Er schenkte ihr denselben Blick, an den sie sich so gut erinnerte, halb bestürzt, halb verärgert.

»Ein bißchen Farbe? Oh, das Auto ... ich werde es natürlich richtig reparieren lassen ... Übrigens, es war nett von dir, das Vieh wegzutreiben.«

Endlich eine Anerkennung ihres Heldenmutes. Sie hätte fast gesagt: »Siehst du, ich wußte ja nicht, daß du es warst«, aber statt dessen sagte sie: »Na ja, wir versuchen, unsere Gäste gut willkommen zu heißen, sogar im Hinterland.«

Im Haus angekommen, sah er sich kritisch um, und sofort wurde sich Tessa der allgemeinen Atmosphäre fröhlicher Vernachlässigung und des beginnenden Verfalls bewußt, ein Gefühl, das sie bei Munro nie gehabt hatte. Sie sagte hastig: »Seit wir hier sind, haben wir immer viel zu tun gehabt. Die Farm war heruntergekommen, und Don hat keine Zeit, das Haus zurechtmachen zu helfen.«

Darüber verärgert, wie er sie noch immer in die Defensive drängte, fügte sie herausfordernd hinzu: »Aber hier ist es gemütlich, und sie führte ihn in das Eßzimmer, wobei sie sehr deutlich die alte, verblichene Tapete sah und die Decke, die angestrichen werden mußte. »Ich werde das Mittagessen machen; du wirst doch bleiben, nicht wahr?« Und sofort merkte sie, daß sie eine dumme Frage gestellt hatte. Wenn ein Gast hundert Meilen oder noch weiter gefahren war, wahrscheinlich nur, um einen zu besuchen, dann war es eigentlich selbstverständlich, ihn zum Mittagessen zu bitten.

Aber warum diese Fahrt von hundert Meilen? In den letzten zehn Jahren hatte er bestimmt jede Zuneigung überwunden, die er je für sie gehegt hatte – und das, überlegte Tessa, war schon in den letzten kritischen Wochen ihrer Verlobungszeit wenig genug gewesen. Die Abwesenheit hatte sicher diesen Funken von Zuneigung nicht wieder belebt; für diesen unwillkommenen Besuch mußte es einen anderen Grund geben.

Plötzlich kam es heraus. Sie saßen beim Mittagessen (aus der Dose; genau, was er von mir erwartet, dachte Tessa ohne Reue), als er unvermittelt sagte: »Ich habe den Fernen Osten verlassen und bin hier in eine gute Stellung zurückgekehrt. Ich habe schon alles über deinen Erfolg gehört. Um ehrlich zu sein, ich habe mir dein Bild angesehen. Ich muß gestehen, es hat mich erstaunt.«

»Nicht mehr als es mich erstaunt hat«, sagte Tessa, nahm sich jedoch zusammen und fügte fröhlich hinzu: »Den Erfolg meine ich, aber das ist schon Monate her. Ich habe es fast vergessen.«

Aber jetzt verstand sie, warum er gekommen war; Edward Hall liebte den Erfolg und hatte ihn nie mit ihren lieblichen Aquarellen in Verbindung gebracht. Ein Maler von altmodischen Arbeiten war eine Sache für sich; einer, der mit einem kraftvollen und gewagten Gemälde eine Sensation geschaffen hatte, war etwas ganz anderes. Er war gekommen, um sich zu vergewissern, ob sie sich geändert hatte, und wenn dies der Fall war, ob es lohnte, sich mit ihr Mühe zu geben.

Jetzt sprach er von den »Träumen«. »Das Bild war ohne Zweifel eindrucksvoll. Ich hätte dich nie für fähig gehalten, so etwas zu schaffen.«

Das ärgerte sie. Edward Hall hatte nie etwas von Kunst verstanden; wie wagte er es, sie gönnerhaft zu behandeln, als wäre er ein Experte? Sie sagte: »Diese Art von Arbeiten ist nicht sonderlich schwierig«, und dann wechselte sie das Thema, indem sie ihn fragte, warum er den Fernen Osten verlassen hatte und nach Neuseeland zurückgekehrt war. Er erzählte ihr kühl, daß man Rücksicht auf die Gesundheit nehmen müsse, und eröffnete ihr jetzt, daß er nie geheiratet hatte. »Es war ein Leben, das der durchschnittlichen Frau nicht gefallen hätte.«

Sie lachte. »Aber Edward, ich habe nie geglaubt, daß du die durchschnittliche Frau heiraten würdest. Ich habe mir deine Frau immer als einen genialen, sehr praktischen und sehr orthodoxen Menschen vorgestellt. Die vollkommene Gattin eines Diplomaten.«

Alles, was ich nicht war, dachte sie, und wie froh ich bin, daß ich das nicht war. Wenn ich mir vorstelle, ich wäre mit diesem Mann verheiratet! Das Leben wäre so langweilig gewesen.

Als wolle er dies beweisen, fuhr er nun fort, von seiner gegenwärtigen geordneten Existenz zu sprechen, von dem teuren Haus, das er gekauft hatte, von den soliden Eigenschaften des Bekanntenkreises, in dem er sich bewegte. Das alles klang schrecklich für Tessa, die sich in ihrem schäbigen Haus umsah und einen kurzen Blick ihres eigenen Bildes im Spiegel ihrer Großmutter erhaschte, der an der Wand des Wohnzimmers hing. Das Spiegelbild brachte sie zum Lachen; ihr Haar war zerzaust, ihre Haut rauh und gezeichnet von Regen und Wind; ihre Augen, nahm sie an, waren so gut wie immer; sie sahen sie jetzt an, sehr groß und erfüllt von einem unruhigen, schalkhaften Glanz, den Hall mißbilligend bemerkte.

Er sagte: »Mein Leben war sehr arbeitsam. Ich sehnte mich nicht besonders danach zu heiraten. Meine Schwester ist zu mir gekommen und hat die Dame des Hauses gespielt. Erinnerst du dich an meine Schwester?«

Nur allzu gut erinnerte sich Tessa an diese korrekte und schreckliche Frau. Sie war vielleicht einer der entscheidenden Faktoren gewesen. Dorothea Hall hatte sie nicht gebilligt, und eigentlich hatte Tessa ihr daraus keinen Vorwurf gemacht. Aber sie hatte nicht den Wunsch verspürt, den Rest ihrer Tage nicht nur unter einem mißbilligenden Augenpaar zu leben, sondern unter zwei.

»Sie hat geheiratet. Erstaunlich in ihrem Alter«, fuhr Edward gelassen fort. »Eine sehr gute Partie, einen Diplomaten, der in Pension ging. Aber das hat mich letzten Endes zu meinem Entschluß gebracht.«

Zu welchem Entschluß? Sich zurückzuziehen, hoffte sie. Nicht zu heiraten? Das wäre ein entmutigender Gedanke. Dann dachte sie an ihr Spiegelbild und fühlte sich völlig sicher. Er würde nie im Traum daran denken, ein Mädchen, das so aussah, zu heiraten.

Bestimmt kehrte Hall zu dem Thema ihres erstaunlichen »Erfolges« zurück. »Warum hast du dich plötzlich von all dem abgewandt und bist an diesen verlassenen Ort gegangen? Deine Freunde fanden das unverständlich. Endlich Erfolg, nachdem du jahrelang . . . jahrelang . . .«

»Nachdem ich jahrelang so gemalt hatte, wie es mir gefiel und dabei glücklich war«, ergänzte Tessa fröhlich. »Ja, ich glaube, es hat die Leute überrascht.«

Edward war ein engstirniger Mensch. »Man hat mir erzählt, du hast eine gute Summe dafür bekommen und hast sie für irgend etwas gestiftet. War das klug? In der Welt von heute und mitten in einer Rezession wäre es doch sicherlich vernünftiger, alles, was man verdient, zu investieren? Man weiß nie, was kommen wird.«

Begleitet von seinem kühlen, mißbilligenden Blick zündete sich Tessa eine Zigarette an und sagte fröhlich: »Natürlich nicht; das weiß man nie, also ist es völlig albern, sich den Kopf darüber zu zerbrechen. Lebe heute und vergiß die Zukunft. Man kann sowieso nichts daran ändern.«

»Man kann umsichtig sein und sich auf einen Regentag vorbereiten.«

»Ich warte lieber, bis der Regen kommt, und leihe mir dann einen Schirm.«

Er seufzte verärgert. »Noch immer dieselbe dumme Philosophie. Hast du im Laufe der Jahre gar nichts gelernt?«

»Nur die Gegenwart zu genießen und aus jeder Minute das Beste zu machen . . . Möchtest du noch etwas Brot?«

»Nein, danke. Ich vermeide stärkehaltige Nahrung.«

»Aber du bist ziemlich dünn. Warum ißt du nicht, was dir Spaß macht?«

»Zunehmen kann man noch immer. Es ist besser aufzupassen und Vorkehrungen zu treffen.«

»O Edward, wie langweilig das klingt . . . Immer Vorkehrungen gegen Dinge zu treffen, die wahrscheinlich niemals eintreten werden.«

Er runzelte die Stirn. »Wenn sich jeder so verhalten hätte, wären wir jetzt nicht mitten in diesem Tief. Mangelndes Vorausdenken war die Schwäche unseres Landes. Nicht nur die unsere, sondern auch die Großbritanniens.« Er ließ sich jetzt über die Dummheiten der Menschheit aus.

Sie war sehr gelangweilt, aber es war besser, als einem Kreuzverhör über dieses verdammte Bild ausgesetzt zu werden, das er zu schätzen schien. Jetzt beantwortete er irgendeine Feststellung, die sie irgendwann einmal ins Blaue hinein gemacht hatte, und sagte: »Aber du hast dich nie für die Angelegenheiten der Welt interessiert . . . Noch eine Zigarette? Du rauchst viel zuviel.«

»Ja. Das habe ich in den ganzen letzten zehn Jahren getan. Ich habe noch immer zehn vor mir, bevor sich irgendeine tödliche Krankheit entwickelt. Diese Zeit kann ich ebensogut genießen.«

»Ich sehe, daß du dich nicht geändert hast.«

»Nein. Ich glaube nicht, daß man das nach fünfundzwanzig noch tut.«

»Du bist jetzt dreißig«, sagte er mit schrecklicher Genauigkeit. »Was beabsichtigst du mit dem Rest deines Lebens zu tun? Doch nicht, ihn hier zu verbringen, meine ich.«

»Warum nicht? Ich mag diesen Ort gerne und dieses Leben, und Don braucht mich.«

»Im Moment. Aber er ist drei Jahre jünger als du. Er wird wahrscheinlich heiraten. Ich vermute, dann wirst du in dein Haus in der Stadt zurückkehren?«

»Das kann ich nicht tun. Ich habe es verkauft.«

Er sah bestürzt aus. »Warum hast du das getan? Ich vermute, man hat dir einen guten Preis gezahlt. Es war ein sehr begehrter Vorort.«

Sie sagte unbekümmert: »Oh, ich bin zufrieden. Ich habe ungefähr tausend Dollar dabei verloren. Ich habe das erste Angebot angenommen.«

»Du hast tausend Dollar verloren? Aber die Preise sind doch, seitdem du es gekauft hast, in die Höhe gegangen.«

»Ja, aber ich habe zehn Jahre darin gelebt. Das entspricht einer Miete von zwei Dollar die Woche, und wo könnte ich ein nettes Haus für zwei Dollar in der Woche bekommen?« Sie strahlte ihn jetzt an, begeistert von ihrer eigenen Geschäftstüchtigkeit.

Er war nicht beeindruckt. »Das erste Angebot? Aber das war Wahnsinn.« Plötzlich wurde Tessa verärgert. »Na ja, und wenn es das war, dann macht es Spaß, wahnsinnig zu sein. Es ist besser, als immer alles abzuwägen, es zu überdenken, sich auf das

Schlimmste vorzubereiten und Angst davor zu haben, was der nächste Tag bringen wird.«

»Nein, du hast dich wirklich nicht verändert«, und jetzt spielte ein leichtes Lächeln um seine Augen. Gegen seinen Willen hatte sie ihn immer amüsiert. So ein mutiges, eigensinniges, unlogisches kleines Ding. Und sie war noch immer sehr hübsch, trotz dieser schrecklichen Kleider und der allgemeinen Nachlässigkeit. Wäre sie elegant wie früher, sähe sie jetzt wunderbar aus. Edward hatte es gerne, wenn eine Frau elegant war. Und sie hatte unbestritten noch immer einen sonderbaren Charme. Niemand würde erraten, daß sie dreißig war. Auch ohne Make-up sah sie unerhört jung aus. Plötzlich riß er sich zusammen. Das Schlimme war, daß sie noch immer fähig war, ihn anzuziehen. Es war ein Fehler gewesen, zu kommen.

Er blieb nicht, bis Don nach Hause kam, obwohl Tessa, die mit Schrecken an das Durcheinander in dem kleinen Zimmer dachte, sich verpflichtet fühlte, ihm ein Nachtquartier anzubieten. »Gut, wenn du wirklich schon gehen willst, dann wird es jetzt Zeit. Es wird regnen, und dann ist der Weg schrecklich.«

Bevor er ging, kam er noch einmal auf den verspäteten Erfolg, wie er es nannte, zu sprechen. Diese Bezeichnung ärgerte Tessa. Ihre ganze gute Arbeit von so vielen Jahren zu verachten und dann dieses Greuel zu loben! Und es war nicht, als ob Hall etwas von abstrakter Kunst verstünde; er war einfach beeindruckt, weil das Ding einen hohen Preis eingebracht hatte. Er hatte immer am Erfolg gehangen und sie nur aufgesucht, weil sie ihn anscheinend erreicht hatte. Sonst hätte er sich die Mühe nicht gemacht. Hier tat sie ihm ein bißchen Unrecht. Edward Hall hatte das Mädchen, mit dem er verlobt gewesen war, nie völlig vergessen. Damals war er auch der Meinung gewesen, daß es klüger sei, Schluß zu machen, aber er hatte immer den Spaß und die Fröhlichkeit, den dieses Mädchen in sein langweiliges und erfolgreiches Leben gebracht hatte, etwas vermißt. Ihre Leichtfertigkeit hatte er mißbilligt, aber sie fehlte ihm. Jetzt, wo er mehr Freizeit und weniger offizielle Verantwortung hatte, hatte er gegen seinen Willen das Gefühl, daß sie in sein Leben passen und bestimmt Leute in sein Haus ziehen würde, denn Edward Hall verband eine allgemeine Mißbilligung von Spaß und Unsinn mit einer sonderbaren Sehnsucht danach. Er konnte Fröhlichkeit nicht wirklich verstehen oder daran teilnehmen, aber er hatte ein unbestimmtes Gefühl, daß ihm etwas entgangen war.

Tessa würde diesen Verlust sicherlich ersetzen, wahrscheinlich im Übermaß.

Und so sagte er bestimmt, als sie ihn mit der Drohung strömenden Regens hinausdrängte: »Ich werde wiederkommen. Es ist keine unangenehme Fahrt, wenn man den Weg erst einmal kennt, und ich würde – ich würde deinen Bruder gerne wiedersehen.«

Da Don ein ziemlich sommersprossiger und flegelhafter Teenager gewesen war, als Hall ihn zum letztenmal gesehen hatte, und er außerdem von ihrem Verlobten beständig ignoriert worden war, war Tessa geneigt, diese Begründung anzuzweifeln. Aber sie hatte die fröhliche Gewißheit, daß dieser steife und kompromißlose Mann sich nie wieder von ihr angezogen fühlen würde. Alles war nur die Schuld dieser verdammten Kleckserei.

Aber das konnte sie ihm wohl kaum sagen, und so sagte sie fröhlich: »Ich verspreche dir, daß Don das Gatter von der Koppel des Bullen befestigt. Ich habe eigentlich selbst ziemliche Angst vor ihm, wenn ich nach den Schafen sehe.«

Er hatte sich soeben zum Gehen gewandt, aber ihre Worte ließen ihn unglücklicherweise innehalten. »Du siehst nach den Schafen? Willst du damit sagen, daß Don hier keine Hilfe hat?«

»Überhaupt keine. Wir kommen alleine zurecht.« Da sie es reizte, etwas anzugeben, war sie so dumm zu sagen: »Ich bin ein unheimlich guter Schafhirte. Auch eine ziemlich gute Hebamme. Ich kann ein Lamm genauso gut auf die Welt bringen wie Don.«

Er sah angeekelt aus. »Eine – eine Hebamme?«

Sie brach in Gelächter aus. »Ja. Es ist kein schmutziges Wort, Edward.«

Er lächelte nicht. »Ausgesprochen unschicklich. Du solltest solche Aufgaben nie übernehmen müssen.«

Völlig unpassend lachte sie wieder, und er sah beleidigt aus.

»Ich kann mich nicht erinnern, lustig gewesen zu sein.«

»Nein, natürlich warst du das nicht. Ich wollte nicht unhöflich sein. Du hast mich nur so an Jake erinnert.«

»Jake?« Er murmelte dieses Wort verächtlich; dieser Name klang gewöhnlich.

»Ja, der Mann, der den Laden im Ort führt. Er ist so lieb, aber er säuft wie ein Loch, und als er neulich abends betrunken war, hat er sich unheimlich darüber aufgeregt, daß ich bei jedem Wetter die Farmarbeit verrichte, und er hat mir so freundlich Schutz hinter seinem Ladentisch angeboten ... So ein netter Heiratsantrag. Ich habe schon lange keinen mehr bekommen, und dabei ist es so gut für die Stimmung.«

»Und das«, sagte sie später zu Don, »hat ihm den Rest gegeben. Ich weiß nicht, ob er nur von dem Gedanken angeekelt war, daß ich in einem Laden mit einem betrunkenen Mann arbeite, oder ob er nur Angst hatte, ich würde von ihm erwarten, mir einen ähnlichen Heiratsantrag zu machen. Jedenfalls ist er davongestürzt, wobei er ganz offensichtlich den Staub dieses Hauses (und davon gab es nicht wenig) von seinen schönen Schuhen schüttelte – und ich glaube nicht, daß wir ihn noch einmal wiedersehen.«

Aber hier irrte Tessa.

9

Nach diesem Wiedersehen empfand sie es als Erleichterung, ihr Versprechen zu halten und zu Kenneth Munros Haus an die Küste hinunterzufahren. Es war ein schöner Septembertag, der schon den Frühling verhieß, und Tessa hatte gute Laune. Noch ein paar Wochen, und das Gras würde im Überfluß wachsen, und die Plage des Winters wäre vorbei. Im nächsten Jahr würde Don auf die langen, harten Wintermonate vorbereitet sein, und das Leben wäre leichter. Im nächsten Jahr? Würde sie dasein, um all die Verbesserungen zu sehen, die er plante? Würde er jemanden gefunden haben, um sein Leben zu teilen? Sie hoffte es; die Freundschaft mit Thea wuchs, und er hatte gelernt, dieses praktische und attraktive Mädchen zu schätzen.

Und was war mit ihr selbst? Würde sie in die Stadt zurückgekehrt sein? Laut sagte sie: »Nein, das nicht. Das würde ich jetzt hassen.« Sie vergeudete keine Zeit, über ihre Zukunft nachzudenken. Sie würde schon von selbst kommen. Sie hatte genug Geld, um eines dieser verlassenen Häuser auf einer einsamen Farm zu kaufen und es gemütlich herzurichten; sie hatte genug zum Leben, nicht viel, aber immerhin ausreichend, wenn sie ihr Einkommen mit ein bißchen Malerei ergänzte. Das heißt, solange es für ihre Arbeiten noch einen Markt gab. Aber es lohnte sich nicht, sich darüber den Kopf zu zerbrechen. Bis zum nächsten Jahr konnte soviel passieren.

Inzwischen hatte Don sehr viel Arbeit. Das Einzäunen hörte noch immer nicht auf, und wenn das Wetter es erlaubte, wurde jetzt mit dem Traktor und einem Verteiler die Kopfdüngung vorgenommen. »Im nächsten Jahr kann ich es mir leisten, es aus der Luft machen zu lassen«, sagte er fröhlich. »Hansard hat ein gutes Gerät, und es ist handlich. Aber in diesem Frühling werde ich so zurechtkommen.«

Es war harte Arbeit, denn manchmal mußte er steile Hügel erklettern und den Dünger an Stellen tragen, wo nicht einmal der Traktor hinkam. Sehr müde und schmutzig kehrte er abends nach Hause zurück, und Tessa war froh, daß sie mit einem warmen Essen und einem herzlichen Mitgefühl auf ihn warten konnte. Zumindest spürte sie, daß sie nützlich war.

Ihre Laune war gut, als sie aus dem Lehmweg, der allmählich auszutrocknen begann, herausbog und jetzt die Buschstraße hinauffuhr. Mrs. Ellison arbeitete in ihrem Garten, und Tessa hielt an, um ihr einen freundschaftlichen Gruß hinüberzurufen und zu fragen, ob sie irgendwelche Einkäufe für sie in Jakes Laden erledigen könnte, an dem sie auf ihrem Weg zur Küste vorbeifahren würde.

Vera Ellison schien Tessas Freude an dem schönen Frühlingsmorgen nicht zu teilen. Sie sagte mit enttäuschter Stimme: »Warum wächst alles plötzlich wie verrückt? Dieser Garten besteht nur noch aus Unkraut, und niemand hilft mir.«

»Ich glaube, auf den Farmen ist es immer so. Die Männer haben soviel zu tun.«

»Nicht alle«, war die schroffe Antwort. »Einige von ihnen sitzen einfach herum und lesen die Zeitung, während ihre Frauen arbeiten.« Durch das offene Fenster sah Tessa beunruhigt, wie eine Gestalt hinter einer Zeitung versteckt war, die plötzlich wie eine Antwort auf eine Herausforderung hingeworfen wurde. Ellison spazierte aus dem Haus, sah besser aus denn je und wie immer äußerst gepflegt.

»Guten Morgen. Wie schön, ein fröhliches, junges Gesicht zu sehen. So erfrischend für einen Mann.«

Vera sah sich nicht um, aber ihr Mund verhärtete sich zu einer dünnen Linie, und sie sagte gleichgültig: »Ich nehme an, Don arbeitet hart, wie üblich? Wie herrlich, einen dynamischen Mann zu haben! Ein Mann, der morgens lesend herumsitzt, ist irgendwie ein Schwächling.«

An diesem Punkt hielt es Tessa für klug, hastig zu sagen: »Tja, ich muß gehen . . . Geben Sie mir nur noch Ihre Einkaufsliste für Jake.«

Sie nahm die Bestellungen entgegen und mußte dann noch hören, daß Rücksichtnahme eine der Eigenschaften sei, die Mrs. Ellison am meisten schätzte und am meisten vermißte. Als sie die beiden verließ, erhaschte sie Malcolms höhnisches Lächeln und hörte, wie er sagte: »Na ja, das war erfrischend, zur Abwechslung einmal einen jungen und hübschen Menschen zu sehen.«

Was für unfreundliche Menschen! Wie konnten sie sich an einem Tag wie dem heutigen streiten? Es war eine Freude für sie, bei Mrs. Heaven hereinzuschauen und zu fragen, ob sie irgend etwas aus dem Laden brauchte. Wie üblich, fand sie ihre Maori-Freundin in bester Stimmung, umgeben von lachenden, lärmenden Kindern, die überraschend sauber waren. Ja, Mrs. Heaven wäre froh, ein paar Lebensmittel zu bekommen. Tessa nahm die Liste erfreut an; hier gab es keine versteckte Unfreundlichkeit. »Ich brauche kaum zu fragen, ob es den Kindern gutgeht«, sagte sie, wobei sie die glückliche Truppe anlächelte.

»Es geht ihnen allen gut«, strahlte Mrs. Heaven, aber Timothys Augen werden etwas schlecht. Kann nicht an der Schultafel lesen, und der Doktor sagt, ich soll ihn zu einem Spezialisten in der Stadt bringen. So lasse ich mir einen Termin für nächste Woche geben und bringe ihn hin. Aber es ist schwierig, eine Nacht wegzubleiben, wo so viele Kühe zu melken sind.«

Auch so viele Kinder zu füttern, dachte Tessa. Sie sagte: »Aber müssen Sie über Nacht bleiben? Gibt es keinen Weg, an einem Tag hin und zurück zu fahren? Schließlich ist es doch nur eine Fahrt von ein paar Stunden.«

»Geht nicht mit unserem alten Karren. Er würde es nicht einmal in zwei oder drei Tagen machen«, lächelte sie. »So gehe ich mit Friday, nehme den Zug und bleibe über Nacht. Ist alles ziemlich teuer, aber Timothy muß seine Brille haben.«

Tessa sagte spontan: »Tun Sie das nicht. Ich kann Sie hinfahren. Das wird mein kleines Auto leicht überstehen, und es sehnt sich danach, gefahren zu werden. Es ist ja nicht, als müßten wir in die Großstadt fahren. Sie nehmen wahrscheinlich den Spezialisten in Houndsville, und das ist nur sechzig Meilen entfernt.«

Mrs. Heaven war völlig überwältigt, protestierte und meinte, sie dürfe ihre treue Kameradin nicht all diesen Mühen aussetzen. Aber Tessa bestand darauf. Die Fröhlichkeit des Frühlings lag in der Luft, und sie konnte sich kein größeres Vergnügen vorstellen, als mit der Familie Heaven einen Tag in der Stadt zu verbringen. Mit ihrer üblichen Begeisterung sagte sie: »Oh, lassen Sie uns das tun, es wird solchen Spaß machen, und wir können vor der Dunkelheit zurück sein. Es ist viel weniger schwierig für

Sie, und ich würde mich freuen. Bringen Sie so viele Kinder mit, wie wir in das kleine Auto kriegen können.«

Mrs. Heaven strahlte vor Freude, und Tessas Abschied fand unter dankbarem Geschnatter und mit einer festen Verabredung statt. Der Termin wurde für die nächste Woche festgesetzt, und sie würde um acht Uhr morgens bei Mrs. Heaven sein. »Und wir werden bestimmt unseren Spaß haben«, rief sie, wobei sie zum Abschied fröhlich winkte, als sie die Straße hinauffuhr.

Auch Jake hätte die ganze Welt umarmen können und war lobenswert nüchtern. Tessa war erleichtert herauszufinden, daß sie richtig gehandelt hatte; er erinnerte sich offensichtlich überhaupt nicht mehr an seinen ritterlichen Heiratsantrag von vor einigen Tagen. Sie gab ihm die verschiedenen Listen, einschließlich ihrer eigenen, und er versprach, bei ihrer Rückkehr alles fertig zu haben. Aus Angst vor Gerüchten erwähnte sie vorsichtshalber ihren Besuch bei Munro nicht; Jake nahm an, daß sie an die Küste hinunterfuhr, um Seeluft zu atmen, und sie ließ ihn in diesem Glauben. Sie war wie er der Meinung, daß es der richtige Tag für einen Ausflug an den Strand war, obwohl es leider zu kalt zum Baden war.

Tana war ein paar Monate im Jahr ein typischer Ferienort am Meer, wenn die Strände sich füllten und der Zeltplatz vor Menschen wimmelte. Doch war es noch nicht erschlossen genug, als daß man dort ein Hotel hätte bauen können, aber sie konnte sich vorstellen, daß die Ausflügler und die Zeltenden in den Ferien die Strände gut füllten. Wahrscheinlich machte es Kenneth Munro richtig, dann wegzugehen und erst wieder zurückzukehren, wenn er den Sand und die Lupinen für sich haben konnte.

Bis auf ein paar Kunden in den drei Läden und ein paar Mädchen in der Milchbar war Tana heute fast leer. Das Personal des Postamtes, das aus zwei Männern bestand, ruhte sich jetzt, da die Post gut abgeschickt war, bei einer Tasse Tee aus, und vor der einzigen Werkstatt starrte ein Maori-Mechaniker träge ins Innere eines alten Autos. Tessa fuhr weiter durch das Dorf und am Kai vorbei, einen Grasweg entlang, der sich um die Landzunge bis zur Ozeanküste schlängelte. Oberhalb einer Anhöhe stand das hübsche alte Haus, das ihr hier aufgefallen war und wo

Munro nach seinen eigenen Erzählungen sechs oder sieben Monate im Jahr lebte.

Er empfing sie mit liebenswürdiger und selbstverständlicher Gastfreundschaft, und bald saßen sie gemütlich beim Kaffee auf der Veranda und blickten über die Sandfläche und die Lupinen und das Meer, das sich meilenweit dahinstreckte. Heute war es ruhig und blau und still, aber Munro erzählte ihr, daß es bei Sturm sehr schön und wild sei.

»Ich habe ein Boot, aber ich lasse es auf der anderen Seite der Landzunge in einem ruhigen Hafen. Der heutige Tag ist für eine kleine Ausfahrt wie geschaffen, und vielleicht kann man auch etwas angeln. Würden Sie das gerne tun? Bis zu meinem Bootsunterstand ist es nicht weit, und ich gehe ziemlich oft hinaus, wenn mich meine Arbeit langweilt.«

Als sie gemeinsam dorthin wanderten, spürte sie, daß sie Fragen stellen konnte. »Was für eine Arbeit? Jemand sagte mir, Sie schreiben ein Buch.«

Er lächelte und zuckte leicht die Achseln. »Ein Buch? Na ja, ich glaube, man kann es so nennen, obwohl es nicht sehr aufregend ist. Kein kraftvoller, realistischer Roman, nicht einmal eine aufschlußreiche Biographie. Nur eine Studie über den neuseeländischen Ehrenpreis.«

»Ehrenpreis?« Sie war überrascht. Er sah nicht wie ein Wissenschaftler aus.

»Ja. Sie sind interessant, wissen Sie. Eine außergewöhnliche Menge verschiedener Arten für ein kleines Land.«

»Dann sind Sie Botaniker?«

»Mehr oder weniger. Ich habe Botanik studiert und wollte darin unterrichten. Das habe ich auch ein paar Jahre lang wirklich getan. Dann starb ein Onkel von mir und hinterließ mir ein Erbe, so daß ich mir mein Geld nicht zu verdienen brauchte. Ich wurde also ein Müßiggänger und beschloß, über Pflanzen zu schreiben, anstatt widerspenstige Kinder darin zu unterrichten.«

»Aber, Ehrenpreis? Ich hatte keine Ahnung, daß es so viele Arten davon gibt. Natürlich habe ich sie in den Gärten gesehen und wußte, daß es einheimische Pflanzen sind. Schöne, purpurrote Blumen, manchmal weiß. Aber sind sie interessant?«

»Sehr. Ich liebe die einheimischen Blumen. Aber ich wollte nicht über die alltäglichen schreiben, obwohl auch sie schön sind. Nicht über den Ratabaum und die Klematis und die Gebirgsgänseblümchen, und so weiter – darüber haben sich andere schon die Finger wundgeschrieben, insbesondere in verzückten Beschreibungen in Romanen. Ehrenpreis ist nicht so auffallend, aber es ist wirklich sehr interessant, besonders deshalb, weil es so vielfältig ist. Man würde nie glauben, daß das in den Bergen zu derselben Gattung gehört wie die schönen Gartenblumen, die Sie gesehen haben.«

»Studieren Sie sie an Ort und Stelle? Ich meine, suchen Sie sie in den Bergen und so?«

»Lieber Himmel, ja! Es würde keinen Spaß machen, die Worte anderer Menschen zu übernehmen ... Ich wandere ziemlich viel herum, wenn ich nicht gerade nach Strandgut jage. Es macht sehr viel Spaß, und ich liebe das Bergsteigen. Aber das ist genug über mich. Schon zuviel, wo Sie mit Ihren Geheimnissen so zurückhaltend sind. Wie dem auch sei, hier ist der Bootsunterstand, und alles ist für einen Ausflug bereit. Herrlich. Ich bin nicht gut im Fischefangen, aber ich sitze gerne in einem Boot und lasse die Leine über den Rand baumeln.«

Und genau das tat auch sie gerne. Zu ihrer eigenen und Munros Überraschung gelang es ihr, einen ziemlich ansehnlichen Schnappbarsch zu fangen, wahrscheinlich nur deshalb, weil dieser zur Selbstzerfleischung entschlossen schien. Sie war begeistert und nicht davon abzubringen, daß die vier von ihrem Gastgeber gefangenen in der Größe alle unterlegen waren. Sie unterhielten sich zwanglos und freundschaftlich, und nach ihrem Zusammentreffen mit Edward Hall war es eine Erleichterung für Tessa, daß Munro nicht versuchte, ein Kreuzverhör über ihre Zukunft anzustellen. Das sagte sie ihm jetzt.

»Hassen Sie es nicht auch, gefragt zu werden, was Sie mit Ihrem Leben zu tun beabsichtigen? Diese Menschen klingen so ernsthaft und so zielbewußt, und ich weiß nie, was ich sagen soll.«

»Ziemlich lästig ... Aber ich glaube, Sie finden es sonderbar, daß Sie damit zufrieden sind, im Hinterland zu leben. Man glaubt, es sei die Pest für gebildete Frauen.«

»Ich bin nicht gebildet, zumindest nicht auf die moderne Art. Ich plane mein Leben nie. Es scheint sich nicht zu lohnen, über die Zukunft nachzudenken; mir genügt die Gegenwart. Da, ich habe beinahe noch einen Fisch gefangen, und ich bin sicher, das war ein großer.«

»Das bestreite ich nicht. Sollen wir es dabei belassen? Sie können Ihren großen Fisch mit nach Hause nehmen, und wir werden zwei von meinen kleineren zum Mittagessen zubereiten. Ich fange sie nicht gerne, um sie dann verderben zu lassen.«

»Das fände ich gut – vorausgesetzt, daß Sie den Fisch kochen. Die häuslichen Tugenden liegen mir nicht so sehr.«

»Ist gut. Ich bin daran gewöhnt, wenn ich an der Küste bin, und eine Zeitlang macht es mir nichts aus. Und Sie werden in der Sonne sitzen und mir Anweisungen in die Küche rufen.«

Das tat Tessa ungeniert und fand, daß es eine nette Abwechslung vom Schafehüten und Essenkochen für Don war. Bei der Mahlzeit, die hervorragend gekocht war und köstlich schmeckte, sagte Kenneth: »Wissen Sie, Sie werden das Malen nicht wirklich aufgeben.«

Bestürzt fragte sie: »Warum nicht? In diesem Winter habe ich kaum gemalt.«

»Sie waren zu beschäftigt, und das Schafehüten war etwas Neues. Aber Ihre Arbeit ist zu gut, als daß Sie sie ganz aufgeben würden. Wie wäre es, wenn Sie mein Buch über das Ehrenpreis illustrieren würden?«

Sie holte tief Luft. »Aber ich habe noch nie Blumen gezeichnet.«

»Das ist kein Grund, es nicht zu tun. Sie können es lernen. Das ist Ihre Art zu arbeiten.«

»Aber ist es das wirklich? Ich habe nur die konventionellen Dinge gemacht, die man lernt, wenn man anfängt.«

»Natürlich können Sie es. Ich meine, nicht unter Druck, aber wenn Sie Lust dazu haben. Sie haben keine Eile. Ich lasse mir gerne Zeit. Machen Sie einen Besuch, wenn Sie sich danach fühlen. Es wäre ein neues Gebiet und eine Abwechslung und – was noch wichtiger ist – Sie würden beginnen, wieder ernsthaft zu malen.«

»Aber wo könnte ich Ihr Ehrenpreis sehen?«

»Von der Flachlandart gibt es hier im Gelände viele. Ich werde Ihnen heute einige im Busch oder oberhalb des Hauses zeigen. Damit könnten Sie anfangen. Später können wir dann Ausflüge ins Gebirge machen. Das würde Ihnen bestimmt gefallen.«

Er war genauso unkonventionell wie sie, und das gefiel ihr. »Das würde ich liebend gerne tun.«

»Gut. Und Sie würden nichts mit den Kunstkritikern zu tun bekommen, die Sie verärgert zu haben scheinen. Sie sind weit weg im Hinterland und zum Teufel mit den Kritikern. Wir können die Zusammenarbeit geheimhalten – zumindest bis das Buch veröffentlicht wird, und das geschieht noch nicht so schnell. Und natürlich wird es auch Geld geben, zumindest genug, um die Marmelade auf dem Butterbrot zu bezahlen.«

»Aber werde ich dafür gut genug sein?«

»Natürlich. Sie haben im Augenblick das Vertrauen verloren, und das ist schlecht. Aber Sie werden es wiedergewinnen, und es wird uns beiden Spaß machen. Na, wie ist es?«

»In Ordnung. Ich werde es auf jeden Fall versuchen. Gehen wir in den Busch und holen wir ein paar Blumen. Dann sehe ich, wie ich vorwärtskomme.«

Als sie wegfuhr, hatte sie einen Strauß großen Ehrenpreises auf dem Nebensitz, und während der ersten zehn Meilen fühlte sie sich sehr fröhlich. Dann fragte sie sich wie gewöhnlich, was sie getan hatte. Wieder ernsthaft malen – gerade das hatte sie sich geschworen, nie wieder zu tun. Soweit es um die Zusammenarbeit mit Munro ging, war das ein ziemlich angenehmer Gedanke. Sie mochte ihn gerne. Er war ein verträglicher, freundlicher Mensch, und man würde gut mit ihm arbeiten können. Obwohl sie dreißig war und einige Erfahrungen hinter sich hatte (Edward Hall nicht mitgerechnet), war Tessa nicht die Frau, die mit Komplikationen rechnete. Dieser Gedanke kam ihr nie in den Sinn. So fuhr sie weiter, merkte, daß der alte Ehrgeiz wiederkam, und schob alle Zweifel an ihrer Fähigkeit und an allem anderen von sich.

Nachdem sie ihre verschiedenen Einkäufe abgeliefert und Mrs. Heaven an ihren Ausflug in die Stadt erinnert hatte, kam sie rechtzeitig nach Hause zurück, um Dons Abendessen zu bereiten. Munro hatte den Fisch ausgenommen und vorbereitet, und seufzend machte sich Tessa daran, ein Essen zu kochen, das ihrem Bruder beweisen würde, daß ihm sowohl Freude als auch Gewinn entgangen waren, weil er sie nicht begleitet hatte. Er war aufmerksam und interessiert und fragte plötzlich: »Was für eine Art von Mensch ist Munro? Ich mochte ihn gerne, als er hier war.«

»Und du bist an dem Abend ausgegangen. Wie er ist? So wie er wirkt – ein freundlicher, einfacher Mensch und ein guter Angler, wie du siehst.«

»Ja, aber wie sind seine persönlichen Verhältnisse? Woher kommt er? Ist er verheiratet?«

»Ich habe nicht die geringste Ahnung«, sagte Tessa und merkte dann, daß sie all diesen Fragen nicht einen Gedanken geschenkt hatte. »Aber er schreibt ein Buch über einheimische Ehrenpreisarten, und er fragte ...«

In diesem Augenblick klingelte das Telefon zweimal, bevor sie aufstehen und den Hörer abnehmen konnte. Offensichtlich war es ein ungeduldiger Mensch, oder es handelte sich um eine dringende Sache. Letzteres war der Fall. Alfs Stimme klang aufgeregt. »Ellisons Haus brennt! Brennt wie die Hölle. Sagen Sie Don, er soll schnell kommen und Eimer mitbringen!«

In drei Minuten waren sie auf dem Weg. Dons altes Auto brachte sie holpernd über den Lehmweg, der glücklicherweise heute nacht hart und gefroren war. Im Handumdrehen waren sie auf der Schotterstraße und sahen Tom Hansards Auto dicht vor sich, das in gewagtem Tempo dahinraste. Als sie um die dritte Kurve bogen, konnten sie den Feuerschein des brennenden Hauses über dem Busch sehen. Don hielt in sicherer Entfernung, und er und Tessa rannten mit ihren Eimern schnell zum Trog an dem hinteren Tor. Dieser wurde von einem Quell gespeist und war die zuverlässigste Wasserversorgung, denn wie sie wußten, hing das Haus von Reservetanks ab. Die Tankanlage brannte schon, und es konnte sich nur um Minuten handeln, bevor sie – und damit auch die Tanks – zusammenbrachen. Das Feuer hatte offensichtlich im hinteren Teil des Hauses begonnen, hatte jedoch schon das ganze Gebäude umzingelt. Inmitten der Flammen wurde Johnny Heaven sichtbar, der mit einem Schlauch das Dach bespritzte, das schon zu glimmen begann. Dann warf er ihn hin und rief Alf zu: »Geht nicht . . . Am besten holen wir ein paar Sachen 'raus! Das Haus brennt ab!«

Tessa konnte sehen, daß er recht hatte. Ihre Eimer halfen jetzt nichts mehr. Don brüllte: »Okay. Wir wollen retten, was wir retten können«, und er stürzte in das große Schlafzimmer, das schon in einer Ecke brannte. Die nächsten zehn Minuten waren ein Alptraum, in dem Menschen aneinanderstießen, in das Haus stürzten, packten, was sie packen konnten und es weit genug von den Flammen wegtrugen. Tessa riß den Kleiderschrank auf, und als sie mit einem Bündel Kleider hinausrannte, kam sie an Malcolm Ellison vorbei, dessen Gesicht schwarz verschmiert und dessen Kleider zerrissen waren und der zerstreut murmelte: »Retten Sie ihre Schätze . . . lassen Sie die praktischen Dinge. Holen Sie ihre Schätze heraus.« Dann drängte er sich an Tessa vorbei und verschwand im Eßzimmer, wo der Qualm schon sehr dick war.

Alle trugen Dinge aufs Geratewohl und in wahnsinniger Hast hinaus. Sie sah George Butler mit einer Matratze in den Armen, und Don zerrte einen antiken Schreibtisch aus einer Ecke, wo die Flammen schon gefährlich züngelten. Dora und Jean Hansard versuchten, Bettzeug zu retten, und Alf war unermüdlich. Er kämpfte sich mit einem Möbelstück nach dem anderen durch den Qualm. Es war ein wildes Durcheinander, und sie brauchte einige Zeit, um Vera Ellison zu finden, die mit Gewalt daran gehindert wurde, das jetzt beinahe zusammenstürzende Haus zu betreten. Sie war offensichtlich früh zu Bett gegangen und trug nur ein Nachthemd und einen grünen Morgenrock. Sie zitterte und war völlig verwirrt und unfähig, sich selbst in die Decke zu hüllen, die ihr jemand zugeworfen hatte. Tessa, die sah, daß sie jetzt nicht mehr viel helfen konnte, versuchte, sich um die kleine Frau zu kümmern, und es gelang ihr, sie warm in ein paar Dekken einzuwickeln. »Ich kann jetzt nichts mehr tun. Die Männer haben viele Dinge gerettet. Setzen Sie sich auf diese Matratze.«

Es bestand wenig Hoffnung, noch mehr in Sicherheit zu bringen, denn mit der Unberechenbarkeit des für die Westküste charakteristischen Wetters war plötzlich ein Wind aufgekommen, der die Flammen hochjagte und das Werk der Zerstörung beschleunigte. Sie hörte, wie Alf rief: »Das Dach bricht ein! Bleiben Sie weg!« Und dann sah sie zu ihrem Entsetzen, wie Malcolm Ellison zurück in das brennende Eßzimmer stürzte. Neben ihr stieß Vera einen schrillen Schrei aus: »Malcolm! Malcolm! Komm zurück! Oh, bringen Sie ihn zurück!«

Ihre Stimme war in dem Knistern der Flammen nicht zu hören, und sie erhob sich von der Matratze und machte ein paar wankende Schritte auf das Gebäude zu. Aber Don, der plötzlich aus dem Qualm auftauchte, packte sie fest: »Sie können nicht hineingehen. Das Dach wird jeden Augenblick zusammenbrechen.«

Sie kämpfte mit ihm. »Malcolm ist drin! Ich muß ihn herausholen!«

Tessa erinnerte sich an Dora Butlers Worte: »Wenn irgend etwas Schreckliches passiert ... Das Unglück bringt die Menschen zusammen ...« Ja, das Schreckliche war passiert, und jetzt kämpfte Mrs. Ellison, um ihren Mann zu retten, den sie immer zu verabscheuen schien.

Aber in diesem Augenblick stürzte Malcolm ins Freie, sein weißes Haar war versengt, sein Gesicht vor Schmerz und Verzweiflung verzerrt. In seinen Armen trug er etwas, das er eilig in eine von dem glimmenden Sofa gerissene Decke gewickelt hatte. Er taumelte zu seiner Frau und legte das Bündel zu ihren Füßen nieder. »Ich hatte die Miniaturen vergessen«, sagte er ziemlich ruhig, »aber die meisten deiner anderen Schätze sind in Sicherheit.«

Sie gab einen kleinen erstickten Aufschrei von sich und schlang jetzt die Arme um ihn. »Dein schönes Haar«, wimmerte sie, »und du hast dir deine Hand verbrannt.«

Malcolm stand jetzt auf. »Es ist nicht schlimm«, sagte er überschwenglich wie immer und den Blick auf das Publikum gerichtet, das sich um ihn angesammelt hatte.

Mit erstickter Stimme sagte die kleine Frau: »O Malcolm, wie dumm ich war!«

»Und jetzt noch bist«, erwiderte er schroff, »wenn du in einem dünnen Nachthemd in die Kälte hinausrennst. Hier, nimm meinen Mantel«, und er zog seinen versengten Mantel aus und legte ihn um sie.

Vielleicht war es für alle gut, daß in diesem Augenblick das Dach mit einem Krachen herunterfiel. Sie betrachteten die brennende Ruine und vergaßen dabei, dem ältlichen Paar Beachtung zu schenken, das jetzt ganz nah beieinander stand, Malcolms Arm fest um seine Frau geschlungen . . .

»Das ist ja so gut, meine Liebe«, sagte Dora Butler zufrieden eine halbe Stunde später. Sie fuhren die Butlers nach Hause, denn Mrs. Hansards Auto war schon mit den zwei Ellisons und ihren kostbarsten Habseligkeiten gefüllt. Der Rest war bereits im Wollschuppen bis zum Morgen verstaut. »Nein, ich bin nicht herzlos. Sie waren gut versichert, und eine Menge ist gerettet worden. Sie wollten sich schon seit Jahren zurückziehen, und jetzt haben sie eine herrliche Entschuldigung.«

»Aber was ist mit der Farm?« fragte Don.

»Das ist ganz einfach«, erklärte ihm George. »Ein Bursche unten im Tal möchte sie schon seit Jahren haben. Er hat eine große Milchfarm und braucht einen Auslauf für seine Tiere. Er wird ihnen einen guten Preis bezahlen, denn die Farm ist phantastisch in Ordnung, so können sie sich in ein geeigneteres Leben zurückziehen.«

»Ein später Sommer«, brummte Dora glücklich. »Das ist so herrlich, denn in letzter Zeit war der Busch nichts mehr für sie. Jetzt können sie bis an ihr Ende glücklich in einer Stadt weiterleben.«

Das bezweifelte Tessa, aber sie spürte, daß das schwierige Paar zumindest noch eine Chance bekommen hatte. »Und ich hoffe, sie sind klug genug, das zu sehen«, sagte Don, als sie schließlich ihr Haus erreichten.

»Jedenfalls sind sie bei den Hansards für ein oder zwei Tage gut aufgehoben. Bis dahin werden sie wahrscheinlich wieder anfangen, sich zu streiten«, erwiderte Don, der sich über diese alten Menschen nur wenig Illusionen machte.

Am nächsten Morgen schaute Thea kurz herein, mit tiefem Bedauern darüber, daß sie und ihr Bruder das ganze Unglück verschlafen hatten.

»Mrs. Hansard wollte uns nicht wecken lassen, weil wir die ganze Nacht bei einer kranken Kuh gewacht hatten und sofort nach dem Melken zu Bett gegangen waren. Aber wir hätten helfen können. Die Ellisons bleiben wahrscheinlich bei Mrs. Hansard, nehme ich an?«

»Ja, bis sie einen Entschluß gefaßt haben. Alles ist sehr harmonisch. Was für komische Leute sie doch sind! Es ist ein Jammer, daß erst das Haus abbrennen mußte, bevor man sich mit dem eigenen Mann versöhnt.«

Beide Mädchen lachten eigentlich ohne sehr viel Mitgefühl, und dann sagte Thea: »Übrigens, Sara war letztes Wochenende zu Hause. Wußte Don das?«

Tessa war ehrlich überrascht. »Ganz bestimmt nicht. Ich vermute, sie hat einen anderen Bewunderer in der Stadt gefunden. Ihre Mutter sagt, sie bringt jedesmal einen anderen mit, wenn sie kommt.« Ihre Stimme klang schroff; sie war über Sara verärgert. Sie hatte mit Don vorlieb genommen, als sie keinen Liebhaber in der Stadt hatte; Tessa war sicher, daß ihn diese Zurücksetzung verletzen würde.

»Das scheint sie aufgegeben zu haben. Die letzten zwei oder drei Male ist sie alleine gekommen.«

»Wollen Sie damit sagen, daß sie in der letzten Zeit mehrmals nach Hause gekommen ist?«

Thea wurde verlegen. »Ja, das ist sie . . . ich hoffe, es macht Don nichts aus . . . Sie wissen, wie Sara ist. Eigentlich war sie in letzter Zeit zu mir viel freundlicher. Nicht, daß ich glauben würde, wir hätten sehr viel gemeinsam; Sara ist viel zu klug und modern für mich; aber jedesmal, wenn sie zu Hause war, hat sie bei uns hereingeschaut.«

Tessa fühlte sich dummerweise verärgert. Es hatte eine Zeit gegeben, als Sara sie immer besuchte, aber offensichtlich hatte ihre Anziehungskraft nachgelassen. Dann lächelte sie über ihren eigenen Egoismus; als ob das etwas ausmachte, vorausgesetzt, Don fühlte sich nicht verletzt.

»Na ja, ich bin froh, daß sie aufgehört hat, junge Männer von jeder Nationalität und mit allen möglichen komischen Eigenschaften nach Hause zu bringen. Ihre Eltern werden sich freuen. Vielleicht will sie heiraten oder spielt zumindest mit dem Gedanken.«

Sie war froh, daß sich das Mädchen jetzt um Thea kümmerte. Das würde beiden guttun, und Thea hatte ein bißchen Aufheiterung verdient. Sie hatte sehr hart gearbeitet, und Tessa wurde den Eindruck nicht los, daß Cyril seinen Teil immer mehr vernachlässigte. Sie wußte, daß er morgens immer spät dran war, aber vielleicht litt er manchmal unter Gewissensbissen und machte seine Pflichtvergessenheit wieder gut, denn Thea sagte: »Cyril ist in letzter Zeit sehr viel draußen auf der Farm. Ich verstehe das nicht ganz, denn um diese Jahreszeit haben wir nichts anderes zu tun, als nach den Kühen zu sehen. Aber er scheint immer irgendeine Arbeit zu finden, besonders an den Wochenenden. Vielleicht wird er langsam doch etwas interessierter.«

In einem ihrer intuitiven Augenblicke überlegte Tessa, ob das neue Interesse der Farm oder der Farmerstochter gehörte. Wie Thea sagte, war Sara jetzt oft an den Wochenenden zu Hause, und es paßte überhaupt nicht zu Cyrils Charakter, nach Arbeit zu suchen, die nicht von ihm verlangt wurde.

Sie sagte jedoch nichts, sondern erzählte ihrer Freundin von dem bevorstehenden Ausflug mit der Familie Heaven. Thea lachte und sagte: »Sie werden einen herrlichen Tag haben. Ich bin einmal mit ihnen weggefahren, aber nur nach Tana. Ich glaube, diese Kinder haben noch nie eine richtige Stadt gesehen, und auch Hana selbst war ganz selten dort. Sie müssen mir alles erzählen, wenn Sie wieder nach Hause kommen.«

Als der Mittwochmorgen kam und Tessa pünktlich um acht Uhr morgens vor dem Haus der Heavens ankam, fand sie sie alle reisefertig am Tor stehen, sauber, strahlend und munter. Zu ihrer Bestürzung drängten sich fünf Kinder um die kräftige Figur von Hana Heaven. Hana entschuldigte sich: »Einer kommt auf meinen Schoß, und vier gehen nach hinten. Sie können einander auf die Knie nehmen. Sie wollten alle so gerne kommen, und sie sind alle sehr klein.« Das stimmte. Vier von ihnen, dachte Tessa, waren unter sieben Jahren, und sie fragte sich verwirrt, wie Hana mit allem fertig wurde. »Die anderen sechs sind in der Schule«, sagte Mrs. Heaven fröhlich, als sie in das kleine Auto kletterte und die brüllende Tina hochhob. Die anderen vier kletterten auf den Rücksitz und schienen ganz bequem hineinzupassen; letzten Endes, überlegte Tessa, würden sie nicht annähernd soviel wiegen wie zwei Erwachsene. Das Auto konnte es vertragen. Sie sah Hana an, die in ihrem marineblauen Kleid mit dem makellosen weißen Kragen, Aufschlägen und den blauen Baumwollhandschuhen sehr adrett wirkte, und sie mußte einfach sagen: »Wie machen Sie das nur um Himmels willen? Ich meine, elf Kinder zu haben und so jung auszusehen wie ich und noch viel hübscher?«

Mrs. Heaven lächelte nachsichtig. »Das ist sehr nett von Ihnen, aber es stimmt nicht. Sie sind hübsch. Ich bin nur eine gut aussehende Maori-Frau. Und ich habe nicht elf Kinder. Drei sind nicht von mir. Eines ist das Kind meiner Schwester, die zu viele hatte, und eines ist der Sohn von Johnnys Bruder, der krank ist. Das dritte war bei seiner Großmutter – einer Kusine dritten Grades von Johnny – unglücklich und wollte mit mir nach Hause gehen. »Das«, sagte Hanna mit einem kleinen Lachen, »war vor drei Jahren – und sie ist noch immer hier. Und wird auch für immer bleiben, hoffe ich.«

Tessa hatte davon gehört, wie großzügig die Maoris die Kinder anderer Leute aufnahmen, aber trotzdem war sie sehr beeindruckt. Hana fuhr fort: »Aber eines von meinen Kindern ist nicht bei mir. Meine jüngere Schwester war sehr traurig, weil sie keine Tochter hatte. So habe ich ihr meine kleine Nettie gegeben, und jetzt ist sie glücklich, und Nettie ist auch sehr glücklich.«

Tauschgeschäfte, aber liebevolle. Tessa hielt das alles für eine gute Idee. »Wie nett Sie sie anziehen«, sagte sie; »sie sehen alle prima aus.«

»Es wird alles weitergegeben. Ich bin glücklich, daß jedes Jahr ein Kind kam – es blieb keine Zeit, um die Kleider aufzutragen, bevor das nächste sie bekam«, und sie lachte glücklich.

Tessa warf einen Blick nach hinten. Die Kleinen schienen sich ganz wohl zu fühlen, und sie bemerkte, daß Timothy, dessen Augen der Grund für den Ausflug waren, von seinen Geschwistern mit großem Respekt behandelt wurde. Er war ein olivhäutiger Junge von zehn Jahren und offensichtlich hin- und hergerissen zwischen der Angst vor dem »Spezialisten« und dem Stolz auf seine eigene Wichtigkeit. Sie waren alle schrecklich aufgeregt über die Aussicht, einen Tag in der Großstadt zu verbringen.

»Sie sind noch nie über Tana hinausgekommen. Ich habe ihnen erzählt, daß es auf den Straßen Lichter gibt, um die Autos anzuhalten. Stimmt das?«

»Ja, das stimmt. Und Zebrastreifen.« Und Tessa fuhr fort, die Vorschrift zu erklären, wie die Fußgänger auf ein Signal warten und dann die Straße an einer Ecke überqueren dürfen. »Aber man muß sich beeilen, der Verkehr ist ziemlich stark.«

Hana machte ein ernstes Gesicht. »Tinas Beine sind sehr kurz. Aber ich werde sie tragen, und die anderen werden sich bei der Hand nehmen.« Sie lachte zufrieden. Nichts sollte die Freude dieses Tagesausflugs beeinträchtigen.

»Oh, Sie werden das schon fertigbringen«, sagte Tessa, wobei sie überlegte, daß nur ein sehr tollkühner Autofahrer sich diese Familie als Zielscheibe aussuchen würde. »Wir müssen den Kindern unbedingt die Aufzüge und die Rolltreppen zeigen. Sie müssen auf ihrer Reise in die Stadt möglichst viel erleben.« In dem Auto herrschte große Fröhlichkeit. Myrtle informierte Tessa vom Rücksitz, daß »Dadda« ihr ein ganzes Zehn-Cent-Stück zum Ausgeben geschenkt hatte; William, der neben seiner Schwester saß, prahlte, daß er für das Schneiden der Brombeerhecke zwanzig Cent bekommen habe und alles ausgeben dürfen, während Matthew, um sich nicht ausstechen zu lassen, sagte, daß »Mumma« ihm dieselbe große Summe versprochen habe, weil er gestern beim Melken geholfen hatte. Timothy begnügte sich damit, die Ursache für die Reise zu sein. Wie er seinen Brüdern erzählte, wäre ohne ihn heute niemand in die Stadt gefahren. Trotzdem deutete er großartige Belohnungen an, wenn er sich während der Tortur bei »dem Spezialisten« gut benahm.

In Tessas Unterbewußtsein schlummerte das sonderbare Geheimnis um Saras Kommen und Gehen. Es konnte doch unmöglich Cyril sein, der sie anzog. Dann erinnerte sich Tessa, daß sie bei diesen äußerlich gefühllosen, jungen Frauen häufig einen mütterlichen Instinkt bemerkt hatte; sie dachte auch an das außergewöhnlich gute Aussehen des Jungen, an seinen nicht zu leugnenden Charme, der sich mit einer anziehenden Hilflosigkeit vermischte. Vielleicht war auch seine Poesie besser als Tessa glaubte. Na ja, über Geschmack ließ sich nicht streiten, obwohl es ihrem voreingenommenen Blick unglaublich schien, daß irgendein Mädchen diese vagen Qualitäten Dons Männlichkeit und seinem praktischen, gesunden Menschenverstand vorziehen konnte.

Aber darüber brauchte sie sich keine Sorgen zu machen, es sei denn, Saras Gefühle würden bedeuten, daß die Summers wegziehen müßten. Es wäre ihr schrecklich, Thea als Nachbarin zu verlieren; außerdem wäre sie sehr enttäuscht, wenn sich die kindlichen Hoffnungen, die sie für ihren Bruder und ihre Freundin gehegt hatte, in Rauch auflösen würden.

Es hatte keinen Zweck, darüber nachzudenken; sie konnte doch nichts tun. Aber heute war ein herrlicher Tag, und alle im Auto strömten über vor Glück. Es war typisch für Tessa, daß auch sie glücklich und unbekümmert wurde.

Sie fuhr schnell, obwohl sie einige Befürchtungen wegen der kleinen Tina hatte, die ziemlich still geworden war und unter ihrer olivfarbenen Haut leicht grün zu werden schien. Aber es geschah kein Unglück, und sie erreichten wohlbehalten die Stadt kurz vor zehn Uhr. Es war noch Zeit, die ganze Familie zum Eis einzuladen und einen großen, roten Ball zu kaufen, bevor Timothy in der Sprechstunde sein mußte. Tessa sagte zu Hana, es wäre albern, alle Kinder mitnehmen zu wollen; sie würde zum Park fahren und sich dort um sie kümmern. Es war nicht weit bis zu dem Spezialisten, und nach der Behandlung würde Hana sie dort wiederfinden. Vielleicht mußte sie warten. Die Spezialisten waren dafür bekannt, daß sie ihr Ansehen hoben, indem sie ihre Patienten endlos warten ließen. Doch Hana brauchte sich keine Sorgen zu machen. Die Kinder würden mit ihr völlig glücklich sein; sie würden auf dem herrlichen, weichen Gras spielen, und sie würde sich gerne um die Familie kümmern.

Hana war dankbar, aber etwas skeptisch. »Ich bin nicht sicher. Ich glaube, ich sollte Tina mitnehmen. Sie verträgt das Autofahren nicht gut, und vielleicht hätte sie das Eis nicht essen sollen – aber sie wollte es unbedingt. Es könnte ihr schlecht werden, und wenn es Tina schlecht wird, dann ist es ihr wirklich sehr, sehr schlimm.«

»Unsinn. Es wird ihr schon gutgehen, und außerdem komme ich auch damit zurecht. Gehen Sie, Hana, Sie müssen pünktlich sein. Sie wissen, wo es ist – ich habe Ihnen das Haus gezeigt, als wir vorbeifuhren. Und passen Sie auf, wenn Sie die Straße überqueren.«

Die Kinder nahmen den Abschied von ihrer Mutter gelassen hin. Sie kannten und mochten Tessa und waren begeistert von dem Park mit seinem herrlichen Rasen, den Beeten mit Frühlingsblumen, der Fontäne und der häßlichen Statue, die sie schmückte. Als sie jetzt alles, was im Park interessant war, gesehen hatten, sagte Tessa: »Jetzt wollen wir Ball spielen. Seht nur, wie schön er ist – ich habe ihn gekauft, als wir durch die Stadt gingen, und ihr müßt ihn mit nach Hause nehmen. Seid vorsichtig, daß ihr ihn nicht in die Blumenbeete werft. Hier ist ein schöner großer Rasen.«

Es war ein wundervolles Spiel, an dem die kleine Tina nur allzu begeistert teilnahm. Die Frühlingssonne schien jetzt sehr stark, und allen wurde es warm. Plötzlich hörte Tessa ein unheilvolles Wimmern von Tina und ließ den Ball fallen, den sie gerade Matthew zuwerfen wollte. »Was hast du, Liebling?« Sie hoffte inständig, daß sie nur Sehnsucht nach ihrer Mutter hatte.

Aber dem war absolut nicht so. Es war eine rein körperliche Regung, und schon in der nächsten Minute hatte Tessa allen Grund, Hanas düstere Voraussage zu verstehen; wenn es Tina schlecht war, dann war es wirklich sehr schlimm. Tessa, die nur mit ein paar kleinen Taschentüchern ausgerüstet war, fiel es schwer, zu Rande zu kommen. Verzweifelt trug sie das Kind zum Abfalleimer, der von den Stadtvätern für ganz andere Zwecke gedacht war. »Wenn ich nur eine Zeitung oder ein großes Tuch hätte«, stöhnte sie laut.

»Mit einem Tuch kann ich zwar nicht dienen, aber hier haben Sie die Morgenzeitung«, sagte eine fröhliche Stimme hinter ihr. »Und ich habe ein besseres Taschentuch als das.«

Sie drehte sich um und erblickte Kenneth Munro, der zu ihr herablächelte.

»Was tun Sie um Himmels willen hier?« keuchte sie und erinnerte sich daran, daß sie Edward Hall dieselbe Frage gestellt hatte. Allerdings aus einer ganz anderen Regung heraus.

»Geschäfte. Ich bin jetzt fertig und wollte im Park spazierengehen und die Narzissen bewundern.« Er lächelte, als er das sagte, so, als erwarte er nicht wirklich, daß man ihm das glaubte.

»Na ja, dem Himmel sei Dank für die Zeitung – und natürlich für Sie. Nein, nicht Ihr Taschentuch. Heben Sie das für meinen Rock auf.« Und sie zeigte kläglich auf mehrere Flecken.

Sie gingen beide verschwenderisch mit der Zeitung um, und dann setzte sich Tessa ins Gras und lachte. Tina, die sich jetzt interessanterweise wieder völlig erholt hatte, wie es kleine Kinder tun, wenn sie sich einer großen Last entledigt haben, lachte auch, und die anderen Kinder standen um sie herum und grinsten scheu; sie mochten diesen großen Mann gerne, der so herrlich half, Tina abzuwischen, und dem das gar nichts auszumachen schien.

»Jetzt kommt mein Rock. Wie ärgerlich, aber ich war nicht schnell genug. Es war einfach wie eine Fontäne.«

»Wenn wir schon bei Fontänen sind, wie wäre es, wenn wir unsere Säuberungsaktion dort beenden? Wir können da auch Ihren Rock reinigen. Dagegen wird niemand etwas haben. Wozu sind Fontänen schließlich da?«

Diese Fontäne war vielleicht nicht schön, aber ganz bestimmt sehr nützlich, und nachdem jetzt Tessas Taschentücher ausgewaschen waren, in der Sonne zum Trocknen lagen und ihr Rock wiederhergestellt war, setzten sie sich erleichtert auf eine Bank. Munro hielt die wieder zum Leben erweckte Tina ganz fest, die vor Energie schon wieder überströmte und die unbedingt an den Spielen der anderen teilnehmen wollte. »Nein, kein weiteres Risiko. Sie ist ganz nett, jetzt, wo sie sauber ist, nicht wahr?«

»Sie sind alle liebenswert, und ihre Mutter auch. Es war sehr gütig von Ihnen, mir zu helfen. Sie müssen Kinder gerne haben.«

»Ja. Ich wünsche mir oft, ich hätte welche.«

»Warum nicht? Sind Sie nicht verheiratet?«

Er lächelte über diese direkte Frage, aber schüttelte den Kopf. »Nein, das ist danebengegangen. Wie ist es mit Ihnen?«

»Dasselbe. Ziemlich traurig für uns beide, nicht wahr?«

»Da gibt es ein Heilmittel.« Dann ganz beiläufig: »Sind das Nachbarn von Ihnen?«

»Ja, fast ganz oben auf dem Hügel. Die nettesten und normalsten Nachbarn von allen.«

»Ich kenne nur Tom Hansard, und er scheint mir normal genug.«

»Oh, das sind sie beide. Ich mag die Hansards gerne und auch Sara, aber sie kann man als völlig unberechenbar bezeichnen. Ich glaube, das sind die meisten Teenager«, und sie fuhr fort, ihm zu erzählen, wie das Mädchen sich mit Don angefreundet zu haben schien. »Und jetzt kommt sie nach Hause und läßt es ihn nicht einmal wissen.«

»Hat es ihm das Herz gebrochen?«

»Das glaube ich nicht. Um ehrlich zu sein, da oben ist noch ein sehr nettes Mädchen . . .« und dann lachten sie beide.

»Ich nehme an, daß auch Don modern eingestellt ist und diese Dinge leicht nimmt.«

»O ja. In den letzten drei Jahren hatte er eine Freundschaft nach der anderen. Aber dieses Mal hoffe ich, daß es von längerer Dauer ist – zumindest, wenn er über Sara wegkommt, und das nehme ich an.«

»Ihr Leben muß ausgefüllt sein, wenn Sie Schafe hüten, sich um ihre Nachbarn kümmern und versuchen, die Liebesgeschichten Ihres Bruders zu lenken . . . Bleibt Ihnen da noch Zeit, um mein Buch zu illustrieren?«

»Ich habe viel darüber nachgedacht. Ich frage mich nur, ob ich gut genug dafür bin.«

»Lieber Himmel, Mädchen, warum diese schreckliche Bescheidenheit? Natürlich sind Sie gut genug. Was fehlt Ihnen?« Warum haben Sie soviel Angst vor sich selbst und vor Ihrem Talent?«

»Das ist eine alte Geschichte«, begann sie, und sie hätte ihm die ganze Geschichte von ihrem dummen Scherz und dem positiven Echo auf die »Träume« erzählt, aber in diesem Augenblick kam Hana den Weg herauf, und sie gingen ihr entgegen.

Sie strahlte. Alles war bestens. Timothy mußte einige Jahre lang eine Brille tragen; das war alles. »Bis er Büsche schneiden und Kühe melken muß, wird alles in Ordnung sein«, endete sie zufrieden. Hier hörte man Timothy murmeln, daß er keine Kühe melken würde; er wollte Rennfahrer werden. Hana lächelte gütig und überhörte seinen Wunsch verständnisvoll. Als sie von Tinas Entgleisung erfuhr, fragte sie erschrocken: »Und Sie mußten sich um all das kümmern?«

»All das ist die richtige Beschreibung, Hana. Es war wirklich alles dran. Aber Mr. Munro half mir, und es ist schon gut. Unsere Taschentücher trocknen in der Sonne, und Tina und ich auch. Lassen Sie uns noch zehn Minuten, und dann sind wir so gut wie neu.«

Als sie jetzt den Park verließen, schien es ganz selbstverständlich, daß Munro sich zu ihnen gesellte. Seine Geschäfte, sagte er, seinen erledigt, und obwohl Tessa sich fragte, welche Geschäfte um zehn Uhr morgens abgeschlossen sein konnten, freute sie sich, seine Begleitung zu haben. Auf eine geheimnisvolle Weise war er nicht nur ihr Führer, sondern auch ihr Gastgeber geworden. Sie gingen in die Stadt hinunter, und Tessa zeigte Hana, wie man einem Zebrastreifen begegnet. »Wir werden loslaufen, wenn das Signal kommt. Sie und die Kinder folgen so schnell wie Sie können. Sollen wir ein paar übernehmen?«

»Nein danke. Sie werden sich bei mir besser benehmen. Los geht's. Jetzt gebt euch alle die Hand und bleibt zusammen.«

Gemeinsam schossen die fünf kleinen Heavens mit ihrer Mutter in der Mitte nach vorne, in der hastenden wilden Menge eifrig bemüht, den gegenüberliegenden Bürgersteig rechtzeitig zu erreichen. Tina erschwerte nun die Dinge, weil sie sich weigerte, getragen zu werden; sie war sonst ein williges Kind, doch jetzt offensichtlich durch ihre führende Rolle in dem eben geschehenen Drama durcheinandergebracht, und sie bestand darauf, von ihrem

Bruder, kräftig festgehalten, selbst zu gehen. Tessa und Munro eilten voraus und erreichten den Bordstein, um nun der Familie zu helfen. Aber das war nicht nötig. Obwohl die Ampeln anstelle des grünen »Bitte gehen« schon lange das rote »Halt« zeigten, ging die Familie Heaven weiter, ungestört und ohne sich der Gefahr von den ungeduldigen, hinter der weißen Linie wartenden Autos bewußt zu werden. Aber sie hatten recht: Niemand hupte auch nur, und selbst der gereizteste Autofahrer lehnte sich mit einem breiten Grinsen aus dem Fenster, als er die strahlende und nicht im geringsten beunruhigte Familie sah. Tessa und Munro freuten sich an diesem Anblick und halfen den keuchenden und siegreichen Heavens auf den Bürgersteig.

»Na ja«, sagte Hana mit einem breiten Lächeln, »sie waren nett, alle diese Stadtfahrer. Überhaupt nicht böse, weil Tina so langsam war. Gar nicht, wie es in der Zeitung steht. Keine Eile, und viel Lachen.«

Der Rest des Tages war angefüllt mit Freuden für die kleinen Heavens. Munro bestand darauf, daß sie in eine Cafeteria gingen, wo die Kinder selbst wählen konnten. Es gab eine verwirrende Vielfalt, und das Auswählen brauchte lange. Aber niemand runzelte die Stirn, als Timothy, der sich jetzt von seiner Tortur völlig erholt hatte, sich eigenmächtig zwei Apfelstrudel, fünf Cremekuchen und eine Fleischpastete nahm, das Ganze großartig vervollständigt durch eine Flasche Gingerbier. Mit Rücksicht auf die Heimfahrt gelang es ihnen, Tinas Appetit einzudämmen, aber alle anderen luden ihre Teller voll und grinsten vor reiner Glückseligkeit. Die Mahlzeit war heiter, und Munro nahm die Rechnung entgegen, ohne zu erschrecken, und erklärte, daß er noch nie soviel Spaß gehabt habe. Es folgte ein Besuch in einem Warenhaus, wo sowohl Aufzüge wie Rolltreppen eine erstaunliche Neuheit für die Familie darstellten. Schließlich gelang es ihnen, Matthew gewaltsam von seiner siebten Reise auf der Rolltreppe zu holen und Myrtle, die gerade zum fünften Mal den Aufzug betreten wollte, zurückzuhalten, und Munro sagte jetzt: »Es bleibt uns gerade noch eine halbe Stunde Zeit, um eine Dampferfahrt auf dem Fluß zu machen«, und nun rasten sie zum Parkplatz und zu den Autos. Die Kinder hatten in Tana das Meer gesehen, aber sie waren noch nie auf einem Dampfer gewesen. Im Moment war ihre Freude und ihre Scheu beim Anblick des mächtigen Flusses so groß, daß sie sich auf den Sitzen an Deck ganz ruhig verhielten, und es gab keine Zwischenfälle, außer daß Tina unbedingt ins Wasser fallen wollte, als das Schiff ablegte. Beim Aussteigen sagte Tessa zu Kenneth: »Sie haben den ganzen Tag geopfert, und Sie werden spät nach Hause kommen.«

Er lächelte etwas traurig. »Der große Vorteil – oder Nachteil – meines Lebens ist, daß sich niemand Sorgen macht, wenn ich spät nach Hause komme . . . Und es war ein herrlicher Tag.«

Danach bestand er darauf, daß es für die Erwachsenen Kaffee und für die Kinder Eis geben sollte, bevor sie losfuhren. »Aber Tina?« fragte Hana, und Munro antwortete fröhlich, daß sie für den Notfall eine Abendzeitung kaufen würden. Tessa war ganz erleichtert, als er vorschlug, die Gesellschaft zu teilen.

»Ich übernehme drei und fahre hinterher. Dann habt ihr alle Platz genug, um euch auszustrecken. Aber ihr könnt Tina haben«, endete er großzügig.

Es war sieben Uhr, und die Frühlingsdämmerung brach schon herein, als die beiden Autos vor dem Haus der Heavens hielten. Sechs ältere Kinder und ihr Vater (oder Onkel oder zweiter Vetter; Tessa wußte es nicht) kamen heraus, um sie zu begrüßen, und es ertönte ein aufgeregtes Geplapper, durch das man ab und zu Johnny sagen hörte, daß die Kühe gemolken waren und der Braten fertig sei. Dann wandte er sich mit der angeborenen Höflichkeit der Maoris an Tessa und Munro, die der Versammlung interessiert zusahen, und sagte: »Es wäre mir eine Ehre und eine Freude, wenn Sie uns Gesellschaft leisten würden.«

»Vielen Dank, Johnny, ich würde das sehr gerne annehmen, aber Don wird sich nach einem Essen sehnen, und außerdem warten drei schreckliche Lämmer darauf, gefüttert zu werden«, sagte Tessa, und Munro entschuldigte sich, weil er noch weit zu fahren hatte. Er fügte hinzu, daß er sie, wenn es ihnen recht wäre, nächste Woche, wenn er die Straße hinauf- oder hinunterfuhr, gerne einmal besuchen würde.

Tessa kam erschöpft, aber frohen Herzens nach Hause. Ihre

Fröhlichkeit steigerte sich noch, als Don sagte: »Kümmere dich nicht um das Abendessen, altes Mädchen. Ich habe Thea besucht, und sie machte mir ein wundervolles Mittagessen und sagte, du solltest heute Abend nicht kochen.«

11

Da jetzt fast alle Lämmer geboren waren und das Schafehüten leichter wurde, hatte Tessa mehr Zeit, sich für die Angelegenheiten ihrer Nachbarn zu interessieren. Die Ellisons waren weg. Der Farmer unten im Tal hatte sofort zugegriffen und ihre Farm gekauft, um so mehr, als es jetzt kein Haus mehr gab, das den Preis hätte erhöhen können. Die Möbel und Habseligkeiten, die die Nachbarn gerettet hatten, befanden sich jetzt in der Stadt, und Malcolm hatte einen Ausflug gemacht, um ein Haus für ihren »späten Sommer«, wie Dora es nannte, zu finden.

»Und bis jetzt scheint es auch zu halten«, sagte Tessa eines Tages zu den Butlers, als sie hereinschaute, um zu fragen, was das Buch mache. »Als ich mich von ihnen verabschiedete, war alles eitel Freude und Sonnenschein, und Malcolm war noch immer der Held.« »O ja,« sagte Dora. »Die ganze Balgerei war wirklich nur ein lustiges Spiel.«

Tessa riß die Augen weit auf. Für sie war es kein lustiges Spiel gewesen; sie hatte es als äußerst verwirrend empfunden. Aber sie besaß auch nicht Doras gelassene und philosophische Lebensauffassung.

Das Buch steckte offensichtlich in einer schrecklichen Krise, und Charmian de Tours verbrachte eine schlimme Zeit, und George war folglich leicht gereizt.

»Das verdammte Manuskript muß in Kürze nach London geschickt werden, und ich weiß nicht, wie ich einen Schluß für das verdammte Ding finden soll«, murmelte er.

»Könnten Sie nicht eine Romanze zwischen dem Jungen und dem Mädchen andeuten?« fragte Tessa.

»Das habe ich beim letztenmal getan und mußte es dann weglassen. Die Lektoren hielten es für falsch, und dann gaben sie es einigen Kindern zu lesen. Die kleinen Teufel meinten, es wäre rührselig. Wirklich, ich weiß nicht, was in die Kinder gefahren ist.«

»Ich glaube, heutzutage wollen die meisten Mord und Gewalttätigkeit oder vielleicht Raumfahrt. Das nächste Mal müssen wir sie zum Mond schicken«, sagte Dora.

»Wie kann ich etwas über Dinge schreiben, die ich selbst nicht gemacht habe?« stöhnte George, wobei er sich das Haar raufte.

»Tja, mein Lieber, natürlich bist du noch nicht auf dem Mond gewesen, aber die Autoren, die ständig über solche Dinge schreiben, auch nicht. Wir können das alles in einem Buch nachlesen. Das ist so schön und einfach.«

»Gottseidank, daß es bis zum nächstenmal noch ein Jahr dauert«, sagte George und machte ein fröhlicheres Gesicht.

Von dort aus ging Tessa Alf besuchen. Der Tag war so warm und strahlend, daß ihr jede Ausrede recht war, um im Freien zu bleiben und das Haus zu vernachlässigen. Sie hatte Alf in letzter Zeit häufig besucht; auch wenn sehr viel zu tun war, hatte sie ihn und sein Klavier nie im Stich gelassen. Als Dank dafür war er immer bereit, bei jeder Arbeit, die getan werden mußte, zu helfen, und heute wollte sie ihn über ihr Kohlebügeleisen befragen, das sich beim letzten Gebrauch sehr seltsam verhalten hatte und nicht funktionieren wollte.

Heute morgen schien Alf draußen zu sein, aber sie fühlte sich in seiner Hütte völlig zu Hause und setzte sich ans Klavier, um leise einige ihrer Lieblingsmelodien zu spielen. Der gelbe Kater, der Tessa kannte und akzeptierte, sprang von seinem Stuhl auf ihre Schulter, aber sie war daran gewöhnt und spielte weiter. Plötzlich erreichte ein leises Geräusch ihr Ohr, sie drehte sich um und war erstaunt zu sehen, daß Alf ganz still hereingekommen war und nun in seinem Sessel saß und mit leicht geöffnetem Mund verzückt zuhörte.

Tessa hörte auf. »Guten Tag. Ich habe Sie nicht gehört. Kommen Sie, wir wollen anfangen.«

»Nein. Spielen Sie weiter. Noch ein oder zwei Stücke. Es ist schön, hier zu sitzen und zuzuhören.«

Das tat sie, aber bald drehte sie sich auf ihrem Hocker zu ihm um. »Das ist genug. Jetzt sind Sie an der Reihe.« Er sagte mit einer sonderbaren Stimme: »Das war gut. Ich könnte den ganzen Abend hier sitzen und zuhören, wie Sie spielen. Ein gutes Feuer im Kamin, und Sie würden dasitzen, so klein und hübsch vor dem Klavier. Das würde einem Kerl wie mir gut tun.«

Das kam unerwartet und war etwas gefährlich. Nicht um alles

in der Welt würde sie Alf verletzen. Sie sagte hastig: »Na ja, Sie machen jetzt so schnell Fortschritte, daß Sie bald die Dinge, die Sie lieben, selbst spielen können. Und der Kater ist ein guter Zuhörer.«

Zu ihrem Entsetzen antwortete er nur: »Ein Mann braucht mehr als einen Kater.« Tessa suchte verzweifelt nach einer lustigen Bemerkung, als er etwas verlegen sagte: »Ich meinte es wirklich so, als ich damals sagte, daß ich keine Absichten habe. Damals habe ich es gemeint, weil ich Sie nicht kannte, und ich wollte es klarstellen.«

Sehr schnell warf sie ein: »Und das war sehr vernünftig von Ihnen, Alf. Denn wir sind gute Freunde, nicht wahr? Nur keine Dummheiten, wie die Leute zu sagen pflegen. Mehr wollen wir beide nicht, weder Sie noch der gelbe Kater, außer wenn Sie beide der Musik zugehört haben und etwas . . . etwas . . .«

Alf hatte sich zusammengerissen; er wußte, was sie meinte, und sagte sofort mit einem rauhen Lachen: »Etwas romantisch geworden sind, eh? Ein Mann muß ziemlich romantisch sein, wenn er glaubt, daß Sie einen Ort wie diesen oder einen Kerl wie mich ansehen würden . . . Eine junge Dame wie Sie.«

Tessa atmete erleichtert auf und lachte. »Eine junge Dame? Das ist lieb von Ihnen, Alf. Ich fühle mich heute ungefähr wie fünfzig, und ich weiß, daß ich so aussehe . . . aber wir vertrödeln die Zeit. Kommen Sie, und lernen Sie das neue Stück. Es ist etwas schwierig, aber Sie werden es mögen;« aber bei sich dachte sie: Lieber Alf, das war ein ziemlicher Schlag.

Nicht zum erstenmal dachte sie, daß er ein ausgesprochen netter und verständnisvoller Mann war. Mit keinem Wort und keiner Geste zeigte er, daß er verletzt oder enttäuscht war. Es war eine Regung gewesen, ausgelöst, wie sie sich sagte, durch ihre Musik. Und das merkte er jetzt selbst. Er setzte sich auf seinen harten Stuhl, und die Katze wechselte von Tessas Schulter auf die seine über. Ihre alte, selbstverständliche Freundschaft war zurückgekehrt. Tessa legte ihre kleinen, verarbeiteten Finger auf die seinen, um ihm etwas zu zeigen, und dann war plötzlich der Bann gebrochen. Es klopfte an der Tür, der Kater sprang hinunter und fauchte böse, und sie schaute auf, und erblickte Edward Hall in der offenen Tür.

»Ach du lieber Himmel«, rief sie aus, wobei sie ihre Hände wegzog und sich albern vorkam. »Du bist es wieder! Was bringt dich hierher?«

Sein Blick war kalt und mißbilligend, und Alf stand langsam auf und starrte zurück. Er mochte die Leute nicht, die sich heimlich zu seiner Tür schlichen, und er mochte auch die Art nicht, wie dieser Kerl guckte. Welches Recht hatte er, hier hereinzuplatzen?

»Ich war bei euch und habe deinen Bruder im Hof getroffen. Er hat mir gesagt, wo ich dich wahrscheinlich finden würde.«

»O ja«, sagte Tessa und erlangte ihre normale Gelassenheit wieder. »Und das ist Alf Booker, ein Freund von uns. Ich bringe ihm das Klavierspielen bei, und er tut für uns den ganzen Tag lang hunderterlei Dinge.« Da Hall nicht willens schien, eine herzliche Antwort zu geben, fuhr sie schnell fort: »Und Alf, ich habe vergessen, Ihnen zu sagen, daß dieses verdammte Bügeleisen schon wieder streikt, und Don hat seit einer Woche kein gebügeltes Hemd mehr gehabt. Könnten Sie es reparieren?«

»Ich werde morgen früh da sein«, sagte er freundlich, und dann unterbrach Hall sie, um zu sagen: »Wenn du fertig bist, könnte ich dich nach Hause fahren. Dein Bruder hat mich liebenswürdigerweise aufgefordert, über Nacht zu bleiben.«

Verfluchter Don, dachte Tessa wütend. Sie wollte nicht den ganzen Abend dasitzen und mit Edward Hall Konversation treiben müssen. Sie sagte kühl: »Na ja, eigentlich sind wir noch nicht ganz fertig. Willst du lieber hierbleiben oder nach Hause fahren und nicht auf mich warten?«

Er setzte sich entschlossen hin und guckte mit offensichtlicher Abscheu um sich. Die Schlafzimmertür war offen, die Zinkbadewanne und das Stück Seife waren voll sichtbar. Er sagte: »Ich werde warten, aber ich nehme an, daß es nicht mehr lange dauern wird.«

Aber damit war Alf nicht einverstanden. Er schloß das Klavier bestimmt und sagte: »Lassen wir es dabei ... Wir werden das nächste Mal daran arbeiten – und vielen Dank«, und mit ungeheurer Würde entließ er seine Besucher.

Tessa war böse. »Mußt du so ein hochnäsiges Gesicht machen?« fragte sie, als sie sich in das luxuriöse Auto setzte. »Alf ist ein Goldschatz, und er ist schrecklich nett zu uns. Er liebt sein Klavier, und er hat wirklich Talent. Du hast ihn vor den Kopf gestoßen, und er kam sich idiotisch vor.«

»Na ja, zumindest sah er so aus. Die ganze Situation schien mir sehr eigenartig. Ich nehme an, der Mann ist Junggeselle und praktisch ein Analphabet. Mußt du dir immer so komische Freunde anlachen?«

»Ja, und er ist nicht komisch. Nicht annähernd so komisch wie jemand, der ungebeten hereinplatzt und Alf in Verlegenheit bringt.«

Sie war ärgerlich, und er fand, daß es ihr gut stand. Sie war wirklich noch immer sehr hübsch, und entsprechend angezogen und elegant (wie er dieses Wort liebte) würde sie ihm alle Ehre machen. Aber er zögerte noch. Sie hatte diese gräßliche Angewohnheit, komische Freundschaften zu schließen, und war trotz ihrer dreißig Jahre noch ein ziemlicher Wirrkopf. Er mußte es sich überlegen.

Das tat er den ganzen Abend, als er mit Tessa am warmen Feuer saß, die versuchte, ihr Gähnen zu verbergen. Wie alle Farmer ging Don früh zu Bett und überließ es seiner Schwester, mit dem Gast fertig zu werden, den er eingeladen hatte. Nachdem sich Tessa schließlich unter dem Vorwand, daß sie jetzt immer früh zu Bett gehe, entschuldigt hatte, verließ sie Hall, um sein Bett zu machen, wobei sie bitter dachte, daß er – ganz anders als Kenneth Munro – nicht angeboten hatte zu helfen. Wahrscheinlich hatte er in seinem ganzen Leben noch nie ein Bett gemacht und würde es sicher für äußerst unschicklich halten, ein Ende der Decken zu nehmen, während sie das andere hielt.

Sie bemerkte ein Licht unter Dons Tür und fand ihn glücklich lesend im Bett.

»Du Biest, warum bist du weggegangen? Und warum hast du den verdammten Mann gebeten zu bleiben?«

»Erinnere dich an die Gastfreundschaft des Hinterlandes«, sagte er freundlich und blätterte eine Seite um.

Darüber lachte sie, ging dann aber unwillig weg, um die Tasse Kakao zu machen, die Edward, wie er ihr sagte, immer als Schlaftrunk zu sich nahm. Sie haßte Kakao. Jeder, der sich ihm verschrieb, mußte äußerst eigenartig sein. Aber sie fühlte sich nicht wohl in ihrer Haut, als sie zu Bett ging. Sie hatte heute erfolgreich einen Verehrer abgefertigt; sie hoffte nur, daß Hall nicht etwas Ähnliches im Sinn hatte. Wie sehr sie es doch haßte, andere Menschen zu verletzen, sogar Edward Hall ... Trotzdem, von den beiden ziehe ich Alf vor, dachte sie mit einem trotzigen Kichern.

Natürlich verließ Don sehr früh am nächsten Morgen das Haus und entschuldigte sich fröhlich bei seinem Gast: »Tessa wird sich um Sie kümmern. Sie wissen ja, wie das mit einem Farmer ist – eine ständige Schufterei«, und grimmig machte sich seine Schwester an die Arbeit, um für ihren Gast Schinken mit Eiern zu braten, denn das war sein gewohntes Frühstück.

Sie waren noch nicht fertig, als Alf erschien, um das Bügeleisen zu reparieren. Als er ihren Besucher sah, nahm er es und ging hinaus in den Schuppen. Tessa sagte beiläufig: »Ich hasse es, keinen Strom zu haben. Nicht so sehr wegen des Kochens, denn das verabscheue ich sowieso, und der Ofen ist eine gute Ausrede. Aber wegen des Lichts und der ganzen Haushaltsgeräte.«

»Ein großer Nachteil. Strom ist heute eine Selbstverständlichkeit. Natürlich, an einem Ort wie diesem ...« Er ließ den Satz unvollendet, sein Ton war geringschätzig. Tessa brauste sofort auf. Sie hatte Halls Überheblichkeit immer übelgenommen.

»Es ist ein schöner Ort, und die Leute sind nett«, und sie fuhr fort, ihm etwas über die verschiedenen Nachbarn und von ihrer Freundschaft mit Thea zu erzählen.

»Sie ist ein prachtvolles Mädchen, und sie und Don sind auch gute Freunde.« Sie hielt inne, da sie merkte, daß sie geschwätzig wurde, wie immer, wenn sie sich verlegen fühlte. Hall interessierte sich nicht für die Nachbarn. Warum erzählte sie von ihnen? Geschah es, weil sie fühlte, daß etwas Unheilvolles, etwas fast

Bedrohliches in seinem Verhalten lag? Unglücklicherweise hatte sie ihm einen Ansatzpunkt gegeben.

»Natürlich wird dein Bruder bald heiraten«, sagte er plötzlich. »Was wirst du dann tun?«

Tessas Gesicht nahm diesen unbestimmten Ausdruck an, über den er sich immer geärgert hatte. »Was ich dann tun werde? Oh, wahrscheinlich werde ich irgendwo leben.«

»Natürlich.« Der trockene Ton machte ihr bewußt, wie albern ihre Bemerkung geklungen hatte. »Aber wo und wie?«

Ihre Antwort war lebhaft. »Ich weiß nicht wo, und das ist mir auch egal. Ich werde irgend etwas Nettes finden. Vielleicht ein altes Haus auf einer dieser verlassenen Farmen. Es gibt davon ein oder zwei hier im Umkreis. Die Leute sind einfach weggegangen, und der Hypothekengläubiger verlangt für das Haus einen niedrigen Preis, um seinen Verlust zu verringern. Es würde Spaß machen, an einem solchen Ort zu leben.«

»Das bezweifle ich.« Der Ton war trockener denn je. »Ich glaube, du würdest wesentlich klüger handeln, wenn du zum Stadtleben zurückkehren, ein Haus in einem guten Vorort kaufen und deine Malerei wiederaufnehmen würdest, jetzt, da du endlich Erfolg hast.«

»Dazu bringt mich nichts.«

Es folgte eine Pause, dann sagte er bedeutungsvoll: »Es gibt eine Alternative. Du könntest heiraten.«

»Ich nehme an, daß ich das könnte, aber ich habe nicht die Absicht, es zu tun. Nicht einmal unseren Kaufmann würde ich heiraten, obwohl das alles andere als langweilig wäre«, und sie lachte, fest entschlossen, ihn abzulenken.

Aber Edward Hall ließ sich nie ablenken, wenn er sich etwas in den Kopf gesetzt hatte. Er blickte über seine Schulter. »Ich würde gerne mit dir unter vier Augen reden. Dieser Mann, der das Bügeleisen repariert . . .?«

»Alf? Oh, er ist draußen im Schuppen. Ich glaube es wenigstens«, und dankbar für jeden Aufschub ging sie zur Tür und rief: »Wie kommen Sie voran, Alf?«

Die fröhliche Stimme antwortete: »Muß verdammt gründlich überholt werden, und das wird es auch. Sie wissen nicht, was

Ihnen damit hätte passieren können? Sie haben wirklich gefährlich gelebt.«

Sie lachte. »Machen Sie sich nicht zuviel Arbeit. Ich kann jederzeit ein neues kaufen.«

Jederzeit ein neues kaufen ... Hall zuckte zusammen. Tessa war immer unverbesserlich nachlässig und verschwenderisch gewesen. Handelte er klug? Aber jetzt hatte er sich festgelegt, und da er ein Ehrenmann war, fuhr er verbissen fort.

»Ich sprach also von der Möglichkeit zu heiraten. Wahrscheinlich hattest du keine Gelegenheit, an diesem Ort zu heiraten, und jetzt bist du dreißig.«

Boshaft erwiderte sie: »Ganz im Gegenteil, ich habe zwei Heiratsanträge bekommen – und ich erwarte eigentlich noch einen weiteren.«

Sobald die Worte ausgesprochen waren, dachte sie: Was wollte ich damit sagen? Nein, natürlich nicht. Kenneth Munro ist genauso wenig der Typ zum Heiraten wie ich ... Es war nur Angabe, wie üblich. Unglücklicherweise hatte Hall sie mißverstanden und sagte mit einem ziemlich eingebildeten Lächeln: »Natürlich erwartest du noch einen und rechnest damit. Du hast ein Recht, das zu tun. Indem ich dich aufsuchte, habe ich meinen Gefühlen klar Ausdruck verliehen. Wir sind natürlich in vielen Dingen sehr verschieden, aber man sagt, daß sich die Menschen in der Ehe ähnlich werden.« Er machte eine Pause, und Tessa stellte sich entsetzt vor, wie sie Edward Jahr für Jahr ähnlicher wurde; noch schlimmer, wie er ihr immer ähnlicher wurde. Sie mußte beinahe lachen.

»Ich weiß, daß wir vor einigen Jahren glaubten, nicht zusammenzupassen, aber ich hoffe, daß du – daß wir – inzwischen klug geworden sind. Würdest du es nicht für gut halten, es noch einmal zu versuchen?«

Das war schrecklich. Sie mochte Edward nicht sehr gerne, aber sie haßte es, ihn verletzen zu müssen (wenn ihre Ablehnung ihn wirklich für mehr als fünf Minuten verletzen würde). Einen Augenblick lang hatte es ihr die Sprache verschlagen, und sie schüttelte nur langsam den Kopf. Unerschrocken fuhr er ruhig fort: »Natürlich müßtest du dein Benehmen etwas ändern, aber ich würde Zugeständnisse machen. Als Frau eines – soll ich sagen nicht unbedeutenden Mannes? – müßtest du dich ein wenig mehr den allgemeinen Gepflogenheiten anpassen, als du es bisher getan hast.«

Diese Rede ließ Tessas Mitleid verfliegen, und ein böser Geist überkam sie. »Du meinst, keine Pullover und Gummistiefel tragen? Keine Freunde wie Alf haben oder Heiratsanträge von betrunkenen Ladenbesitzern bekommen?«

Mit einer sichtbaren Anstrengung beschloß er, das lustig zu finden und lächelte zögernd.

»Du hast immer etwas für ziemlich wilde Scherze übrig gehabt. Natürlich würdest du unterhalten müssen und zu vornehmen Partys gehen. Aber du bist schon immer ein Kontaktmensch gewesen. Die Leute mögen dich«, und er konnte den erstaunten Ton nicht ganz aus seiner Stimme heraushalten.

Tessa fand, daß es nun genug war, und sagte schroff: »Sieh mal, Erward, es hat keinen Zweck. Wir sind nie miteinander zurechtgekommen. Das würden wir auch nie tun. Du wirst leicht irgendeine reizende, konventionelle Frau finden, die genau die richtige Ehefrau für – sagen wir einen nicht unbedeutenden Mann – abgibt.« Um alles in der Welt konnte sie sich diese leicht spöttische Bemerkung nicht verkneifen.

Er nickte in ernster Zustimmung. »Wie du sagst, es wäre nicht schwierig. Aber ich finde, daß du sogar nach zehn Jahren und trotz unserer Uneinigkeiten – tja, daß du noch immer eine gewisse Anziehungskraft besitzst.«

Sie dankte ihm ernsthaft, und nur ihre Augen blickten spöttisch. Er fuhr fort: »Nachdem ich dich aufgesucht hatte, fand ich, daß ich es dir schuldig bin, das . . . das . . .«

»Das Angebot zu machen? Na ja, das ist sehr ehrenwert und gut von dir, Edward, und ich würdige es auch. Aber das Angebot ist endgültig abgelehnt. So hast du jetzt freie Bahn und kannst eine passendere Frau finden und brauchst nicht –« Beinahe hätte sie gesagt: brauchst dir nicht die Mühe zu machen, mich noch einmal aufzusuchen; dann fiel ihr die Gastfreundschaft des Hinterlandes ein, und sie schloß ziemlich unbefriedigend: »Und wenn du je wieder in diesen Teil der Welt kommst, dann schau herein, um zu sehen, was aus uns geworden ist; ich werde vielleicht nicht da sein, aber Don freut sich bestimmt immer, dich aufzunehmen.« Gut, dachte sie; das geschieht Don recht, und damit sind wir quitt.

»Du planst wegzugehen?« fragte er.

»Oh, ich habe keine Pläne. Das habe ich nie. Und ich will auch keine. Wenn Don heiratet, fühle ich mich frei wegzugehen, oder auch wenn er nur den Wunsch zeigt zu heiraten, denn es wäre mir schrecklich, wenn er wegen mir zögern würde. Aber ich werde irgendwo in der Gegend sein, und du kannst deine charmante Frau mitbringen«, und dabei lächelte sie so süß, daß ihm einen Augenblick lang ihre Ablehnung fast leid tat. Aber nur einen Augenblick lang. Im nächsten betrachtete er kritisch ihre verblichenen Jeans, ihr dunkles Haar, das offensichtlich einen Friseursalon seit Monaten nicht von innen gesehen hatte. Natürlich eine äußerst unpassende Frau, und trotzdem . . . Sie hatte ein gewisses Etwas. Diese Augen sprühten Feuer. Edward Hall trank seinen Kaffee aus und sagte ziemlich traurig: »Vielleicht hast du recht. Vielleicht wäre es ein genauso großer Fehler wie vor zehn Jahren.«

»Ein größerer«, sagte Tessa bestimmt, »da wir uns beide in unserer Art mehr gefestigt haben und keiner von uns sich ändern könnte. Aber ich danke dir, daß du mich gefragt hast, Edward. Es war sehr ehrenhaft und freundlich von dir und so gut für meine Stimmung, besonders in dieser Aufmachung.«

Und schon wieder machte sie sich über ihn lustig. Sie war unverbesserlich vorlaut; es war ganz bestimmt besser, daß es so geendet hatte.

»Auf Wiedersehen«, sagte er kühl und fügte dann aus irgendeinem albernen Grund hinzu: »Solltest du deine Meinung ändern . . .« aber sie sagte schnell: »Das werde ich nicht tun, Edward. Wenn wir heirateten, würden wir uns innerhalb von einem Monat scheiden lassen«, und sie lachte bei dem Gedanken, daß dieser makellose Mann von einiger Bedeutung vor dem Scheidungsrichter erscheinen müßte, ohne sich zu entschuldigen.

Er machte ein beleidigtes Gesicht, und sie war Alf dankbar, daß er in diesem Augenblick auftauchte, das Bügeleisen, das nun wieder einsatzfähig war, in der Hand. »Wieder in Ordnung«, sagte er fröhlich, fest entschlossen, nichts Besonderes in der Atmosphäre zu entdecken, »geht wie der geölte Blitz. Aber machen Sie keine Dummheiten mehr mit ihm. Diese technischen Sachen sind empfindlich, wie einige Menschen, und man muß damit aufpassen.«

»Wie wahr das ist, Alf, und ich denke nie daran«, sagte Tessa zustimmend, und Hall machte ein verdrießliches Gesicht. Nein, sie war hoffnungslos; sie mochte ihre anziehenden Augenblicke haben; das leugnete er nicht. Aber sie würde immer mit jedem freundschaftlich verkehren, und dieser Bursche hatte völlig recht, wenn er ihr sagte, sie solle aufpassen.

Er verabschiedete sich vornehm, und irgendwelche dummen Gewissensbisse veranlaßten sie zu sagen: »Auf Wiedersehen, Edward, und viel Glück – und vielen Dank.«

Wofür? Überlegte sie sich, als sie die Worte ausgesprochen hatte. Bedankte man sich, wenn man einen Heiratsantrag bekam, insbesondere zur Frühstückszeit? Aber irgendwie fühlte sie, daß Edward sich wirklich angestrengt hatte, möglicherweise sogar ein Opfer auf sich genommen hätte, und ein bißchen Dankbarkeit verdiente er dafür. Sie ging mit ihm in den Hof hinunter, verabschiedete ihn und wünschte ihm sehr überschwenglich viel Glück. Als sie dann zurückkam, sah sie, wie Alf am Küchenofen saß und sehr ernst aussah.

»Gut, das wäre das«, sagte sie, und er schüttelte finster den Kopf. »Die letzten Worte konnte ich einfach nicht überhören, als ich auf die Veranda kam. Es geht mich natürlich nichts an, und ich kann den Kerl selbst nicht ausstehen. Trotzdem, ich glaube, Sie machen einen Fehler.«

»Wirklich, Alf«, begann sie leicht erbost. Dann gewann ihr Sinn für Humor wieder die Oberhand, und sie fragte: »Warum einen Fehler?«

»Na ja, wenn er einen Heiratsantrag gemacht hat, dann haben Sie bestimmt etwas ziemlich Gutes abgelehnt. So wie er und sein Auto aussehen, hat er bestimmt Geld und eine ziemlich hohe Stellung. Sie könnten eine Dame sein, wenn Sie ihn heiraten würden.«

»Nein, das könnte ich nicht. Es liegt mir nicht, eine Dame zu sein – und wir würden uns nie verstehen.«

»Wenn es darum geht, Leute können sich verstehen, wenn sie Mut haben, besonders wenn sie nicht mehr ganz jung sind, und Sie sind keine Küken, beide nicht. Sie müssen ihm viel bedeutet haben, wenn er Ihnen so, wie Sie jetzt aussehen, einen Heiratsantrag macht«, sagte er etwas geringschätzig, und Tessa war belustigt. Aber Alf hatte recht, dachte sie, als sie sich im Spiegel erblickte. Sie sah ohne Zweifel ziemlich verwahrlost aus. Sie mußte sich jetzt, da die Arbeit im Freien leichter geworden war, mehr pflegen. Ihre Haut war zu braun und ihr Haar widerspenstig. Es reichte, um jeden Mann abzustoßen, wie Alf sagen würde. Dann riß sie sich zusammen. Was für ein Unsinn; es war ja gar kein Mann da.

Wie um das zu bestätigen, sagte Alf plötzlich, als er enttäuscht von seinem Stuhl aufstand und nachsehen wollte, ob das Wasser im Kessel kochte: »Ich glaube, so eine Möglichkeit werden Sie nie wieder bekommen. Nicht in Ihrem Alter und nicht an diesem Ort. Sie haben die Gelegenheit weggeworfen, ja, das haben Sie getan.«

12

Tessa hatte sich kaum von diesen Besuchen erholt, als Thea erschien. Offensichtlich war etwas passiert, denn das Mädchen sah aufgeregt aus und reumütig, wie Tessa meinte. Sie fragte: »Ich sollte heute eigentlich zu den jungen Kühen in der hinteren Koppel reiten, aber ich dachte, Sie würden mir vielleicht eine Tasse Tee anbieten, wenn ich den Ausflug unterbreche.«

Tessa, die erschöpft am Tisch saß, sagte: »Natürlich. Das habe ich selbst bitter nötig, und das Wasser kocht schon.«

Als sie dann ziemlich schweigsam beieinander saßen und ihren Tee schlürften, entschloß sie sich, es zu wagen. »Was ist passiert, Thea? Sie sehen aus, als würden Sie vor Neuigkeiten platzen.«

»Das tue ich auch. Ich bin nämlich zu Ihnen gerannt, und der Tee war nur ein Vorwand. Es ist etwas ganz Erstaunliches passiert. Ich bin noch ganz verwirrt, obwohl ich mir in letzter Zeit schon Gedanken gemacht hatte ... Aber das zeigt, daß man nie richtig weiß, wo man dran ist, denn ich habe mir nicht träumen lassen, daß Cyril ...« hier hielt sie inne, und Tessa lachte.

»Hören Sie auf zu stottern, und erzählen Sie es mir. Was hat Cyril getan?«

»Er hat sich verlobt. Oh, ich kannte seine Gefühle, aber ich hätte nie im Traum gedacht ...«

»Jetzt geht es schon wieder los, gerade, wenn Sie zum interessanten Teil kommen. Wer ist das – das Mädchen?« Sie hatte sich gerade noch rechtzeitig zusammengerissen, um nicht zu sagen: Das arme Mädchen.

»Das ist ja das Außergewöhnliche daran. Natürlich, ich wußte, daß sie sich häufiger sahen, aber sie ist das letzte Mädchen ...«

»Das bedeutet Sara ... Tja, das ist wirklich aufregend. Ich habe mir immer vorgestellt, daß sie einen hervorragenden Rechtsanwalt oder einen bärtigen Popsänger oder so etwas heiraten würde. Ich hätte nie im Traum daran gedacht, daß sie es mit Cyril ernst meinen könnte, obwohl ich es mir überlegt habe –«

»Ich auch. Es war eigenartig, daß sie alleine nach Hause kam, ohne auch nur einen Nigerianer oder einen Beatnik mitzubringen. Und dann ging Cyril an den Wochenenden immer auf die

Farm hinaus, während er sonst wie ein Verrückter schrieb. Aber sie kommen schon seit einiger Zeit zusammen, und sie scheinen wirklich verliebt zu sein. Natürlich wußte ich, daß Cyril verliebt war, aber Sara . . .«

»Oh, ich weiß nicht. Er sieht unheimlich gut aus, und er hat irgendwie eine anziehende Hilflosigkeit. Sara ist nicht wirklich abgebrüht. Das ist nur äußerlich, um mitzuhalten. Und was sagen ihre Eltern?« Tessa ahnte, daß ihre Reaktion wahrscheinlich unbeschreiblich war, aber auch hier irrte sie wieder.

»Das ist genauso erstaunlich, wie der ganze Rest. Zuerst waren sie sprachlos, aber jetzt sind sie, glaube ich, etwas erleichtert. Cyril war schließlich besser als viele von den Typen, die sie mit nach Hause brachte. Zumindest ist Cyril ziemlich zuverlässig und anständig. Er nimmt kein Rauschgift und trinkt nicht und trägt auch keine Plakate, und ich glaube, das ist schon etwas. Aber sie haben ihre Bedingungen gestellt.«

Dafür konnte Tessa sie nicht tadeln. »Wollen Sie, daß er die Farmarbeit ernst nimmt?«

»Ich glaube ja, obwohl sie nicht von ihm erwarten, daß er seine Schreiberei aufgibt. Aber er muß für ein Jahr nach Massey gehen, um sich mit der Schafzucht zu beschäftigen, und dann soll er sich auf der Farm niederlassen, und später erwarten sie von ihm, daß er sie übernimmt, und sie werden sich zurückziehen – aber das dauert noch ewig. Es ist auf jeden Fall ein Geschenk des Himmels, denn Cyril wird noch jahrelang nicht in der Lage sein, sich um eine verhältnismäßig große Farm zu kümmern.«

»Ich nehme an, das bedeutet, daß die Kühe nach dieser Saison verkauft werden müssen?«

»Nein. Ich habe darüber nachgedacht und mit Mr. Hansard gesprochen, und ich bin zu dem Schluß gekommen, daß ich alleine damit fertig werde. Um ganz ehrlich zu sein, es wird nicht viel anders sein als das, was ich bisher getan habe, und wir werden ein paar von den weniger guten Kühen verkaufen. Im Winter werde ich natürlich keine Schafe hüten, und mit dem neuen Stall, den Mr. Hansard bauen wird, komme ich leicht mit allem zurecht.«

»Das scheint mir ziemlich schwierig.«

»Oh, heutzutage tun das auch Mädchen, und es sind alle Erleichterungen da. Es geht nur um die Kühe, sehen Sie, kein Heuen oder Schafehüten. Wenn sich Cyril in Massey bewährt und zeigt, daß er interessiert ist, dann können sie heiraten, und Mr. Hansard wird ihnen ein Haus bauen. So kann ich einfach hierbleiben.« Ihre Stimme war ein bißchen traurig, aber Tessa freute sich. Nichts konnte ihre Heiratspläne für ihren Bruder besser fördern als das.

Aber sie sagte nur: »Na ja, das ist herrlich für Cyril.«

»Ja, sie wird für ihn sorgen und ihn bei seiner Schriftstellerei ermutigen und gleichzeitig dafür sorgen, daß er mit beiden Füßen auf dem Boden bleibt. Aber, Tessa, ich frage mich nur, wie Don es aufnehmen wird. Er und Sara waren doch einmal ganz gut befreundet, oder nicht?«

»O ja, aber das ist schon länger vorbei. Sie wissen ja, wie diese jungen Dinger sind. Man meint, daß sie sich entschlossen haben, morgen zu heiraten, und schon in der nächsten Minute gehört alles der Vergangenheit an.« Sie sagte nicht, daß sie das bei ihrem Bruder mehrmals erlebt hatte; es hatte keinen Zweck, Thea mit Vorurteilen zu belasten.

Thea war schon lange gegangen, als Don zum Mittagessen kam. Ziemlich besorgt sagte seine Schwester: »Ich habe heute morgen eine erstaunliche Neuigkeit erfahren. Sara Hansard wird Cyril heiraten«, und sie wandte sich zum Ofen um, falls er sichtbar zusammenfahren sollte.

Aber später dachte sie, daß sie jetzt die Welt nicht mehr verstand. Don pfiff, lachte und sagte: »Das habe ich kommen sehen. Nachdem sie mich hat sitzenlassen, wußte ich, daß es Cyril sein würde.«

»Hat sie dich sitzenlassen?«

»Oh, nicht richtig. Ich bin nicht so weit gegangen, ihr einen Heiratsantrag zu machen, weißt du. Aber ich konnte sehen, daß sie das Interesse verloren hatte, und so habe ich geahnt, daß es irgendein anderer Junge sein mußte.«

»Es scheint dir nicht das Herz gebrochen zu haben!«

»Ich lasse mir nicht so schnell das Herz brechen, mein gutes Mädchen. Das solltest du inzwischen wissen. Sara ist ein ganz nettes Mädchen, aber keiner von uns beiden würde den anderen als ständigen Partner mögen. Sie möchte etwas weniger Solides, und ich möchte etwas Solideres.«

Tessa atmete erleichtert auf. Thea war bestimmt solide, zwar nicht körperlich, aber charakterlich. Alles würde gut werden. Ihre Freundin mußte nicht für alle Zeiten Kühe melken.

An sich selbst dachte sie überhaupt nicht. Sie hatte immer gehofft, ihr Bruder würde heiraten, und sie freute sich darüber, daß er ausnahmsweise einmal durch Freundschaft zur Liebe kam. Es durfte nichts überstürzt werden, wenn es diesmal von Dauer sein sollte. Wenn es gewachsen war und sich entwickelt hatte, würde sie sich zurückziehen und ein Zuhause und Arbeit finden.

Der Vormittag war ermüdend gewesen, und es war ein erleichterndes Gefühl, als sie am späten Nachmittag Kenneth Munros ruhige Stimme am Telefon hörte. Wie immer klang sie liebenswürdig und gelassen.

»Wie wäre es, wenn Sie morgen nach Tana herunterkämen und wir einmal sehen würden, ob wir noch ein paar Ehrenpreis finden?«

»Das würde ich gern tun«, sagte sie sofort. »In der letzten Zeit habe ich eigentlich genug menschliche Abwechslung gehabt. Pflanzen wären einmal etwas anderes.«

»Gut. Kommen Sie vormittags, so früh Sie können, und wir werden erst ein bißchen botanisch forschen, bis die Flut zum Fischen gut ist. Haben Sie schon Zeit gehabt, an dem Ehrenpreis zu üben, die Sie mitgenommen haben?«

»Ja, es macht ziemlichen Spaß; aber ich weiß nicht, was Sie davon halten werden.«

Um zehn Uhr war sie bei ihm, und als sie ihm ihre Skizze zeigte, war er hellauf begeistert. Genau, was er wollte – eine behutsame, sorgfältige Arbeit, herrlich ausgeführt. Die Zeichnung eines Botanikers, nannte er es, und sie lächelte, als sie an die »Träume« dachte. Nichts konnte weiter von diesem Greuel entfernt sein. Sie mußte ihm bald davon erzählen; sie würden gemeinsam darüber lachen.

Er sagte in seiner selbstverständlichen Art: »Zuerst Kaffee – dann Hebe.«

»Hebe? Wer ist das?«

Er lächelte. »Ich war pedantisch. Hebe ist der botanische Name für Ehrenpreis.«

»Ich dachte, sie wäre eine Göttin. Gibt es viele Arten von Hebe?«

»Ungefähr hundert, glaube ich. Natürlich sind manche wohl Abarten, aber es bleiben immer noch genug, um ein Buch anzufüllen.«

Sie war interessiert und überredete ihn zu fachsimpeln, wie er es nannte. Er erzählte ihr von dem neuseeländischen Flieder, der Campbell Island Benthami mit ihren tiefblauen Blumen (»müssen wir uns eines Tages ansehen«), von den großblütigen Macranthas, die so oft am Mount Cook zu finden sind (»sehe keinen Grund, warum wir nicht zusammen hingehen sollten«), und von dem Akaroa-Ehrenpreis mit seinen rosa Blütenknospen und den rotgeränderten Blättern, die man noch gelegentlich in Canterbury findet. Als er aufgehört hatte, sagte sie: »Und ich kenne nur die normale Art und die Blumen, die die Leute in ihren Gärten züchten. Es würde Spaß machen, einige von diesen seltenen zu malen.«

»Wenn wir Glück haben, könnten wir eines von den Küstenehrenpreis finden. Ich habe es ein- oder zweimal am Rand der Klippen dort drüben gesehen. Sollen wir hingehen und suchen?«

Es war ein tüchtiger Marsch den Hügel hinauf und dann am Rand der Klippen entlang, aber schließlich wurden sie für ihre Mühe belohnt und entdeckten ein Ehrenpreis, das in einer Felsnische dicht am Klippenrand wuchs. Tessa stieß einen überraschten Aufschrei aus – war das wirklich dieselbe Familie wie die großen, buschartigen weißen oder blauen Blüten, die sie gezeichnet hatte? Als sie in Munros Haus zurückkehrte, setzte sie es vorsichtig in Wasser und erklärte, daß sie es mit nach Hause nehmen würde, um zu sehen, ob sie es wirklich gut genug malen konnte, um Munro zufriedenzustellen.

»Sie werden mich schon zufriedenstellen. Ich will keine impressionistische Arbeit. Ehrlich gesagt, hatte ich Angst, diese Arbeit würde Ihnen zu naturgetreu sein. Aber ich möchte eine wirklich künstlerische Darstellung, wenn ich sie bekommen kann.

Und jetzt ist die Flut genau richtig. Wie wäre es, wenn wir schnell hinunterliefen, um zu sehen, ob wir einen Fisch für unser Mittagessen fangen können?«

Munro hatte auch dabei Erfolg; Tessa zu ihrem Kummer nicht. Sie blieben nicht, obwohl die warme Sonne und das ruhige Wasser verlockend waren; aber da sie beide ausgehungert waren, gingen sie ins Haus zurück, wo Kenneth wieder den Fisch ausnahm und zubereitete, während Tessa faul in der Sonne saß.

»Ich brauche ein paar Zeitungen, und ich glaube, ich habe sie alle verbrannt«, und dann entdeckte er ein paar alte, die in einen Schrank geworfen und dort vergessen worden waren. Er brachte eine auf den Fleischklotz hinaus, wo er den Fisch bearbeitete, und Tessa döste vor sich hin, und alles war friedlich, als sie einen plötzlichen Aufschrei hörte und zu ihm hinüberging.

»Haben Sie sich geschnitten?« fragte sie mitfühlend. »Ich überlege mir immer, wie die Leute es fertigbringen, den Fisch zu schuppen, ohne sich selbst zu verstümmeln ...« Dann hielt sie plötzlich inne, als sie seinen Gesichtsausdruck sah.

Ihre Blicke folgten den seinen bis zu der alten und vergilbten Zeitung auf dem Block. Dort sah sie ihr eigenes Gesicht durch einen Haufen von häßlichen Fischschuppen an, und daneben war das Foto von den schrecklichen »Träumen«. Jetzt hatte sie ihre Vergangenheit doch wieder eingeholt.

Für einen langen Augenblick trafen sich ihre Blicke. Dann sagte er langsam: »Sie!« Sie waren es ... Deshalb hatte ich das Gefühl, daß wir uns schon kennen.«

Sie erschauderte, als sie das schuppenbedeckte Gesicht ansah und von dort zu Munro aufblickte. Er war überrascht, und – ja – er war entsetzt. Es war etwas in seinem Gesichtsausdruck, das sie nie zuvor gesehen hatte. Mißbilligung? Stärker – Verachtung, und – wie sie meinte – absolute Enttäuschung. Sie versuchte zu sprechen, aber es gelang ihr nicht. Dann benahm sie sich, wie es ein Schulmädchen angesichts dieser Strenge getan hätte, sie drehte sich um und floh hinaus zu ihrem Wagen.

Als sie die Wagentüre öffnete, blickte sie zurück; bestimmt würde er etwas unternehmen, zu ihr kommen und sie um eine Erklärung bitten? Aber er stand noch immer dort und starrte die verdammte Zeitung an. Sie startete den Wagen, und auch da noch dachte sie: »Er wird merken, daß ich gehe. Er wird es nicht so enden lassen.« Aber er rührte sich nicht. Und sie nahm eine schnelle und gefährliche Kurve und fuhr zum Hof hinaus.

Auf der grasbewachsenen Küstenstraße beschleunigte sie wild, fuhr an dem kleinen Unterstand vorbei, an der Stelle, wo sie noch eine halbe Stunde zuvor mit dem Boot gelandet waren, lachend und glücklich plaudernd. Jetzt stiegen ihr die Tränen in die Augen. Sie wischte sie weg und sagte laut und sehr heftig: »Sei kein Narr, du bist dreißig. Du bist kein sentimentaler Teenager, der denkt: Eben waren wir noch so glücklich. Na ja, das war das.«

Aber die Erinnerung an seinen schockierten Gesichtsausdruck war nur schwer zu verbannen, und jetzt sah sie der Sache tapfer ins Auge, wie es ihre Art war. Deine Schuld. Alles deine Schuld. Du hättest es ihm schon vor einem Monat sagen sollen. Er hätte es verstanden, vollkommen verstanden. Jetzt glaubt er, daß du ihn absichtlich getäuscht hast. Was noch schlimmer ist, er denkt, du hättest das Geld genommen, was sie für diese scheußliche Kleckserei ausgesetzt haben. Wie hatte er es noch genannt? Schmutziges Geld. Warum hatte sie ihm nicht die ganze Geschichte erzählt?

Es lag einfach daran, daß sie sich immer noch etwas schämte und sie deshalb die Geschichte vor ihren neuen Freunden so lange verborgen hatte, bis sie lächerliche Ausmaße annahm, ja ein Alptraum geworden war. Schon der Klang dieser Worte: »Kennen wir uns nicht?« machte sie ganz krank. Es tat ihr jetzt leid, daß sie zur Zeit der Ausstellung nicht die ganze Sache aufgedeckt hatte: Die Leute, die ihr »Meisterwerk« bejubelten, wären sich vielleicht lächerlich vorgekommen; sie wären böse mit ihr gewesen – aber es wäre besser gewesen, als sich immer wieder vor der ganzen Angelegenheit zu verstecken, immer wieder vor den Worten Angst zu haben »Kennen wir uns nicht?«

Als Tessa schließlich an Jakes Laden vorbeifuhr und auf dem Weg nach Hause war, beschloß sie, wie es für sie typisch war, die ganze Sache zu vergessen. Es hatte keinen Zweck, sich einzureden, daß sie das Ende einer Freundschaft nicht bedauerte, die sie sehr glücklich gemacht hatte, die verlorene Achtung eines Mannes, wo dieser Mann von allen Männern, die sie gekannt hatte (so sagte sie sich ehrlich), doch am besten zu ihr paßte. Aber das war vorüber. Sie wußte, daß Munro jetzt keine enge Zusammenarbeit mit ihr für sein Buch wünschen würde. Er würde keine gelegentlichen Ausflüge ins Gebirge vorschlagen, auf der Suche nach Ehrenpreis – wie hatte er sie noch genant? Auf der Suche nach der Hebe – ein alberner Name, und warum sollte er plötzlich dumme Tränen in ihre Augen treiben? Wenn sie sich wie in albernes Schulmädchen benahm, sollte sie den Ort besser verlassen, irgendwohin gehen, wo sie nicht Gefahr lief, diesem Mann noch einmal zu begegnen.

Warum eigentlich nicht? Sie war sicher, daß Don bald bei Thea sowohl physischen wie seelischen Trost suchen würde; ihm würde es gutgehen. Alf würde sie vermissen, und auch die Butlers. Mrs. Heaven würde sich immer an den Tag in der Stadt erinnern und bedauern, daß er keine Wiederholung finden konnte. Stärker hatte sie auf die anderen Leben keinen Einfluß genommen. Mindestens zwei Minuten lang bemitleidete Tessa sich selbst; was war sie doch für ein unansehnliches Wesen, für eine überflüssige alte Jungfer.

Dann lachte sie und schüttelte das Selbstmitleid ab. Von allen Gefühlen hatte sie das Mitleid mit sich selbst immer am meisten verachtet, und jetzt gab sie sich ihm voll hin. Sie würde den Ort nicht verlassen; sie würde sich nicht von Kenneth Munro vertreiben lassen; sie würde genauso weitermachen, bis Don heiratete. Und dann würde sie einen anderen aufregenden Plan schmieden. Es gab noch genug Spaß. Worüber hatte sie zu klagen? Sie hatte zwar einen guten Freund verloren und die Möglichkeit, eine interessante Arbeit auszuführen. Na ja, auf der Welt gab es noch andere Menschen, die wahrscheinlich genauso gute Freunde waren; und Arbeit würde sie immer finden . . . Als Tessa nun in ihre eigene Straße einbog, glaubte sie, daß sie Kenneth Munro schon in die Rumpelkammer der Vergangenheit verwiesen hatte, wo sich auch Edward Hall und verschiedene andere Männer befanden, von denen sie geglaubt hatte, daß sich ihre

Freundschaft lohnte.

Unglücklicherweise war Don ausnahmsweise im Haus, als sie um drei Uhr zurückkehrte. Er sagte: »Du bist früh dran. Ich dachte, du studierst Botanik und kämst erst bei Dunkelheit zurück.« Dann veranlaßte ihn irgend etwas in ihrem Gesichtsausdruck schnell zu fragen: »Was ist passiert, altes Mädchen? Tut mir leid, ich wollte dich nicht so nennen. Das muß ich mir abgewöhnen.«

Sie lachte traurig. »Warum nicht? Das bin ich. So fühle ich mich.«

Don war vielleicht seiner Schwester gegenüber etwas egoistisch, aber er war nicht blind, und er sagte schnell: »Wie wäre es mit einer Tasse Tee? Ich habe kein Mittagessen gehabt, und das wäre wohl eine gute Idee«, und ausnahmsweise machte er den Teekocher selbst an und holte Tassen heraus, während Tessa ganz überrascht dasaß und ihn beobachtete.

»Ein gutes starkes Gebräu . . . Gibt nichts Besseres, wenn man müde ist . . . Und was ist bei dir passiert? Ein geplatzter Reifen oder eine Beule in deinem kostbaren Wagen oder was?«

»Nichts dergleichen.« Dann veranlaßte sie eine plötzliche Regung, ein Gefühl der Einsamkeit dazu, ihm anzuvertrauen: »Eher eine geplatzte Freundschaft.«

Er schwieg einen Moment, und dann sagte er sanft, da er Tessa sehr gerne hatte: »Ein Streit mit Munro? Hast du ihm gesagt, du wolltest es nicht mit seinen Blumen versuchen, oder was?«

»Wieder falsch. Meine sündige Vergangenheit hat wieder ihren Kopf in die Höhe gestreckt.«

»Was willst du damit sagen? Doch nicht das verdammte Bild, wegen dem du dich so schämst?«

»Genau das. Jetzt stehe ich ungeschminkt als die Frau da, die ein Greuel geschaffen und schmutziges Geld dafür genommen hat«, und sie versuchte, unbeschwert zu lachen.

»Aber hattest du es ihm nicht erzählt? Warum nicht, zum Teufel?«

»Ich habe es immer wieder hinausgeschoben. Ich hatte es natürlich vor, und jetzt ist es zu spät«, und nun klang ihre Stimme hoffnungslos.

»Kopf hoch, altes Mädchen. Das ist kein Verbrechen. Der Bursche wird schon drüberkommen. Wie hat er es denn herausgefunden?«

»Das war Pech. Er hat den Fisch auf einer alten Zeitung saubergemacht, und da lächelte ich ihm durch die Fischschuppen entgegen«, und nun gelang ihr ein Lachen bei der Erinnerung an den Vorfall. Das paßte schon eher zu Tessa. Don goß ihr noch eine Tasse Tee ein und fragte: »Na und? Du liebst ihn doch nicht, oder?«

Sie nahm seine Frage nicht übel. Sie waren immer sehr offen zueinander gewesen, und Verschwiegenheit lag ihr nicht gerade. Sie überdachte diesen Punkt eine Minute lang und sagte dann: »Ob ich ihn liebe? Ich weiß nicht. Ich mag ihn sehr gerne. Wir kommen gut miteinander aus. Dieselbe Unbesorgtheit dem Leben gegenüber und all das. Er ist interessant und angenehm und mein Typ. Aber ob ich ihn liebe, das weiß ich nicht.«

»Du hättest ihn doch nicht geheiratet, wenn er dich gefragt hätte? Du hast doch nicht vor, jemanden zu heiraten, oder?«

Sie lächelte. »Weil ich Jake oder Edward Hall nicht wollte?« (Von Alf hatte sie nicht einmal ihrem Bruder erzählt.) »Keine sehr verlockende Auswahl ... Kenneth Munro heiraten. Ich weiß es einfach nicht. Er hat mich nicht gefragt, auch nicht annähernd, außer daß er vorschlug, wir sollten zusammen Bergsteigen, und das bedeutet heutzutage nichts.«

Er sagte sanft: »Ich glaube, du hast ihn wirklich gerne gemocht, altes Mädchen.«

Sie dachte darüber nach und war, wie gewöhnlich, ehrlich. »Das habe ich, und das tue ich noch. Sogar sehr. Aber wenn man dreißig ist, verliebt man sich nicht Hals über Kopf. Man weiß einfach, ob ein Mensch zu einem paßt.«

»Und das war der Fall – oder ist der Fall?«

»War, mein Lieber. Du hättest sein Gesicht sehen sollen! O ja, er paßte wirklich zu mir. Mehr als irgendein Mann in all den langen Jahren ... Aber warum soll man darauf herumreiten? Es ist ein für allemal vorbei. Er wird nicht wollen, daß eine unehrliche Frau seine Bücher illustriert ... Ich bin sicher, daß er jetzt so von mir denkt.«

»Er ist ein Narr, wenn er das tut.«

»Nein, kein Narr. Nur einfach integer – und das ist schlimmer.« Jetzt war sie wieder leichtfertig wie früher, und er versuchte nicht, der Sache weiter auf den Grund zu gehen. Bei sich dachte er: Das ist nicht das Ende. Er wird herkommen – und ich glaube eigentlich, das wäre endlich der Richtige für Tessa.

Jetzt ging er zu seinem Traktor hinaus, und Tessa tröstete sich, indem sie in dem alten Obstgarten herumspazierte, herausfordernd einen Arm voll Apfelblüten pflückte und bei dem Gedanken lächelte, was Edward Hall wohl gesagt hätte, könnte er diesen schrecklichen Mangel an Umsichtigkeit erleben. Sie ordnete sie in einer großen Vase an und dachte, daß sie gerne zeichnen würde – denn Blumen zu malen machte schließlich Spaß, auch wenn Kenneth Munro bestimmt nicht wollte, daß sie seine gräßliche Hebe malte –, als Don hereinkam, die Sorgen seiner Schwester völlig vergessen hatte und vor Wut kochte. In der Hand hatte er ein kleines Maschinenteil, und sofort begab er sich zum Telefon, um eine Verbindung mit der Werkstatt in Tana und dem Mechaniker zu verlangen. Als er wartete, erklärte er Tessa fluchend seine mißliche Lage.

»Kaputt, das verdammte Ding ... muß ein neues Teil haben ... Lieber Himmel, wenn die Werkstatt doch aufwachen und ans Telefon gehen würde.«

Als sie das tat, kam auch keine befriedigende Antwort. Tessa hörte, wie Don sagte: »Aber Sie werden es doch reparieren können? Na ja, wie ist es mit einem neuen Teil? Können Sie keins kommen lassen?« und dann, als er ärgerlich den Hörer hinknallte, sagte er zu Tessa: »Die sind überhaupt nichts wert. Es war derselbe verrückte Bursche, der hierhergekommen ist und alles durcheinandergebracht hat. Hat keine Ahnung ... Das heißt, man muß es nach Houndsville bringen – und das ist ein Zeitverlust.«

Natürlich sagte seine Schwester pflichtbewußt: »Ich werde es morgen zur Post bringen«, bekam aber nur die ärgerliche Antwort: »Das bedeutet noch einmal zwei Tage ... Wenn nur jemand fahren würde.«

Umfragen in der Nachbarschaft brachten kein Ergebnis, und

plötzlich kam Tessa ein Gedanke. Sie sagte: »Ich werde es morgen nach Houndsville fahren und es abends zurückbringen, wenn sie es reparieren können ... Ich fahre früh weg. Sie sollten in einem Tag damit fertig werden, und selbst wenn sie das nicht tun, wird es mir nichts ausmachen zu bleiben und mir einen guten Film anzusehen. Ich fühle mich, als könnte ich etwas Abwechslung gut vertragen.«

Er strömte über vor Dankbarkeit, und Tessa dachte ziemlich schuldbewußt: Ich bin nicht ganz selbstlos. Ich möchte gerne vierundzwanzig Stunden weg sein. Ich brauche Ablenkung, und dann, weil sie immer ehrlich mit sich selbst war, lachte sie, zuckte die Achseln und sagte: »Weil ich Kenneth Munro aus meinem Kopf verbannen und alles hinter mir lassen will.«

13

Für eine entschlossene Pionierin war Tessas Freude auf einen Tag in der Stadt erschreckend. Sie würde früh wegfahren und vor der Rückfahrt nachmittags noch Zeit haben, um sich einen Film anzusehen; das heißt, wenn das Traktorteil in einem Tag repariert werden konnte. Sie hoffte eigentlich eher, daß das nicht möglich war. Pflichtbewußt rief sie ihre Nachbarn an, um herauszufinden, ob irgend jemand mitfahren wollte, hoffte aber insgeheim, daß es nicht der Fall sein würde. Es würde mehr Spaß machen, meinte sie, alleine zu sein. Niemand wollte mitkommen. Dora Butler sagte: »Ich wäre liebend gerne gefahren, Tessa, aber George ist gerade am Ende der – Sie wissen ja, von was.« Das sagte sie in einer geheimnisvollen Stimme, denn sie hatte Angst vor dem Gerede.

»O gut. Hat er nun etwas gefunden?«

»Ja, einen schönen, kleinen Einbruch. Hat das Ganze herrlich abgerundet ... So muß ich also bleiben und meinen Teil dazu beitragen. Sie wissen ja was – morgen.«

Thea war natürlich unentbehrlich. »Aber sagen Sie Don, er solle zum Mittagessen hier hereinsehen, wenn er in der Nähe ist, dann brauchen Sie nicht zu kochen, wenn Sie abends nach Hause kommen.«

Das war herrlich. Sie würde sich nicht nur vergnügen, sondern sie tat auch Don und Thea etwas Gutes. Sie gab ihnen eine Gelegenheit, wie sie es nannte. Thea war eine gute Köchin; noch ein paar Mahlzeiten, und Don würde sich ihres Wertes bewußt werden.

Jean Hansard war etwas verzagt. »Meine Liebe, ich würde gerne einen freien Tag mit Ihnen verbringen, aber diese ganze Angelegenheit mit Sara und Cyril, Sie wissen, was das heißt ... Ich habe alle Hände voll zu tun. Wirklich, diese jungen Leute ...«

»Aber im großen und ganzen freuen Sie sich doch darüber, oder nicht?«

»Na ja, zumindest ist er kein Italiener, wie der junge Mann im letzten Jahr, oder ein Chinese, wie dieser interessante Mensch vor sechs Monaten. Und Cyril kennen wir – ich meine, das Gute und das – nicht so Gute«, und sie lachte. Da Tessa ein mißbilligendes Brummen in der Leitung hörte, das bestimmt nicht von Mrs. Hansard kam, sagte sie eilig, sie würde nächste Woche zu Besuch kommen, um alles zu erfahren, und dann hängte sie ein. Wenn sie auch keine Begleitung hatte, so nahm sie natürlich die übliche Einkaufsliste mit: passende Wolle für Mrs. Hansard kaufen, ein Schergerät für ihren Mann abholen, ein neues Farbband für Dora und ein Stärkungsmittel für ihren alten Hund, ein Strickmuster für Thea (ein Männerpullover – hatte Don nicht erwähnt, daß er einen brauchte?), ein Exemplar von T. S. Elliots Gedichten für Cyril, ein Buch für Alf (aber das war ein Geschenk, kein erbetener Einkauf), ein paar Kopfkissenbezüge für Hana Heaven und eine ganz ansehnliche Liste für sich selbst. »Ich werde wohl besser um sieben losfahren«, sagte Tessa.

Sie würde wohl keine gute Nacht haben; das war in ihrer Verfassung normal. Aber da sie zu dem Schluß gekommen war, daß es sich nicht lohnte, Kenneth Munro nachzuweinen, wenn er sie einfach verurteilte, ohne sich anzuhören, was sie zu ihrer Verteidigung zu sagen hatte (wie er es offensichtlich tat), ging sie früh zu Bett und schlief ganz unromantisch sofort ein.

Um sieben Uhr war sie auf dem Weg, und wieder hatte sie einen herrlichen Morgen für ihren »Ausflug«. Ihre Stimmung, die immer wie eine Quecksilbersäule reagierte, paßte sich dem schönen Tag an, und sie winkte Don einen fröhlichen Gruß zu, als sie startete. Laut, aber melodisch singend fuhr sie durch den Busch, dessen Lehmweg fast trocken war. Wie konnte irgend jemand an einem solchen Tag traurig sein, in einer Welt, deren Himmel voller Geigen hing?

Sie verfehlte Kenneth Munros Auto ungefähr um eine Stunde, als er mürrisch die Straße entlangfuhr, die er das erste Mal mit Tessa an einem Wintertag mühsam durchwandert hatte. Das war erst wenige Monate her, überlegte er, und jetzt eilte er zu ihrem Haus und brannte darauf, nach der Erklärung zu fragen, denn er war sicher, daß es für diese sonderbare Geschichte eine Erklärung gab.

Zu Hause fand er nur Don, der ausnahmsweise einmal häuslich zu sein schien und pfiff, als er das Geschirr vom Frühstückstisch abräumte. Das war das mindeste, was er tun konnte, meinte er, wenn seine hilfsbereite Schwester in seinem Auftrag über hundert Meilen zurücklegte. Mit schlechtem Gewissen überlegte er, daß Tessa zu gut zu ihm war. Immer erwartete er, daß sie zur Hilfe kam, und sie tat es. Noch gestern abend hatte er geglaubt, sie sei niedergeschlagen, hatte gemeint, sie mache sich etwas aus diesem Munro. Aber heute morgen war sie fröhlich wie immer, und es war offensichtlich, daß sie die ganze Geschichte von sich abgeschüttelt hatte, wie sie das so oft tat. Bis auf die fixe Idee mit dem verdammten Bild, das sie dummerweise gemalt hatte, und dem Geld, das dafür gezahlt worden war. Was sollte die ganze Aufregung? Und warum hatte sie nicht die Wahrheit gesagt und den Schiedsrichtern damals ins Gesicht gelacht? Statt dessen war sie davongelaufen (obwohl das für ihn eine glückliche Lösung war), und jetzt wurde sie von der Angst gejagt, daß jeder, den sie traf, sagen würde: »Kennen wir uns nicht?« Verdammt albern, und das paßte gar nicht zu Tessa.

Er blickte finster drein, wenn er an Munro dachte und an seine selbstgefällige Mißbilligung. Warum sollte er sich als ihr Richter aufspielen dürfen? Den Eindruck hatte er gar nicht gemacht; Don hatte ihn eigentlich für genauso fröhlich und unbekümmert gehalten wie Tessa selbst – und jetzt war er wegen einer solchen Kleinigkeit aufgebraust.

Er hörte ein Geräusch und sah auf. Munro stand in der Tür. Einen Augenblick lang herrschte verlegenes Schweigen, und dann sprachen sie beide gleichzeitig – »Guten Tag«, kam es ziemlich widerwillig von Don. »Guten Morgen«, mit steifer Förmlichkeit von Munro.

Dann riß sich Don zusammen und sagte: »Sie sind ein früher Gast. Kommen Sie zu einer Tasse Kaffee herein.«

Das war selbstlos von ihm; es bedeutete, daß er noch mehr Kaffee machen und dasitzen und warten mußte, bis er ihn getrunken hatte. Irgend etwas in der häuslichen Atmosphäre und Don, der zum ersten Mal mit der Küche Bekanntschaft machte, ließen Kenneth Böses ahnen.

»Ihre Schwester?« fragte er zögernd, als er hereinkam.

Der Bursche war also gekommen, um die Dinge klarzustellen.

Don wurde freundlicher gestimmt. Wenn das so war, dann mußte er es wohl ernst meinen, wie er es unbestimmt nannte. Dons Gedanken machten einen Sprung in die Zukunft; das wäre genau das Richtige für Tessa, das passende Alter und alles, was dazu gehört; und wenn es ihm selbst einfallen sollte, andere – andere, na ja, Pläne zu machen, würde er sie nicht mit schlechtem Gewissen wegschicken müssen. Trotzdem sagte er mit einiger Genugtuung: »Tessa? Die ist weg.«

Munro war nicht der Mann, der etwas preisgab. Als er sich setzte, fragte er beiläufig: »Lange?« Und Don bedauerte, daß er jetzt wahrheitsgetreu antworten mußte: »Nur für einen Tag – oder vielleicht bleibt sie über Nacht. Um ehrlich zu sein, sie hat mir angeboten, ein Teil meines verfluchten Traktors wegzubringen. Diese Leute in Tana sind hoffnungslos. Sie dachten nicht einmal im Traum daran zu schweißen«, er war jetzt schwatzhaft geworden, da er plötzlich merkte, wie selbstverständlich er es hingenommen hatte, daß seine Schwester über hundert Meilen fuhr, nur um ihm zu helfen.

»Wissen Sie, wohin sie das Ding bringt?«

»Nein. Überall hin, wo sie es schnell machen können. Ich kenne die Läden in Houndsville nicht, aber sie wird schon etwas finden.«

»Dann besteht wohl kaum die Möglichkeit, sie zu überholen oder sie dort zu finden?«

»Bei dem Tempo, mit dem sie hier abfuhr, glaube ich das nicht. Wollten Sie – wollten Sie sie dringend sprechen?« Don setzte seine Kaffeetasse verlegen auf den Tisch; er wollte zu seiner Arbeit hinaus. Andererseits, wenn Tessa diesen Burschen wirklich gerne hatte – und er schien ein guter Kerl zu sein und ihm mußte auch etwas an ihr liegen, wenn er um acht Uhr morgens auftauchte –, dann wollte er der Sache nachhelfen. Es nützte nichts, davor zurückzuschrecken; es war am besten, darüber zu sprechen und zu sehen, wie die Dinge lagen. Das heißt, vorausgesetzt, daß Munro ihm einen Anknüpfungspunkt bot, denn trotz seiner selbstverständlichen Art war er nicht der Mann, bei dem man sich Freiheiten herausnahm.

Aber es wurde ihm leichtgemacht, denn Munro sagte: »Na ja,

ich wollte ein Mißverständnis aufklären. Ich glaube jedenfalls, daß es eines ist . . . Hat sie Ihnen erzählt, daß wir – wir – sie gestern überstürzt abgefahren ist?«

»Ja, das hat sie mir erzählt.«

»Ich hatte im Moment keinen Mut, sie aufzuhalten. Ehrlich gesagt, ich war zu überrascht, und sie war weg wie der Blitz.«

»Tessa handelt immer überstürzt.«

»Das glaube ich . . . Ich wollte, daß sie mir alles erzählt, ob das Bild wirklich von ihr ist. Nichts könnte weniger zu ihr passen.« Er stotterte ein bißchen, und Don kam ihm schnell zur Hilfe. »Es ist schon von ihr, aber es war als Scherz gemeint. Nur um zu sehen, was geschieht. Eine Art Karikatur. Sie hat nie im Traum daran gedacht, daß man es ernst nehmen würde.«

»Aber warum hat sie es nicht gesagt?«

»Oh, Sie kennen doch Tessa. Es ist ihr schrecklich, wenn sie irgend jemanden lächerlich macht oder seine Gefühle verletzt . . . Sogar Edward Hall –«

»Edward Hall?«

Der Ton war scharf, und Don merkte, daß er sich auf gefährliches Gebiet begeben hatte. Er sagte schnell: »Oh, nur so ein dummer Kerl, der einmal hinter ihr herlief und jetzt wieder aufgetaucht ist. Sie hat ihn weggeschickt, aber auch ihn wollte sie nicht gerne verletzen. So ist Tessa eben. Die Sache mit dem Bild hat sie richtig mitgenommen. Das ist ein wunder Punkt bei ihr, besonders weil soviel Aufsehens darüber gemacht wurde.«

»Ja, eine Menge Reklame – und ein hoher Preis wurde für das Ding gezahlt.«

War sein Ton trocken? Don fuhr hoch. »Sie hat das Zeug natürlich nicht angerührt. Das würde Tessa nicht tun. Sie hat es als Preis für ein vernünftiges Gemälde ausgesetzt – nicht für eines dieser verrückten Gebilde. Aber all das hat sie bekümmert. Sie ist hierher geflohen, hat ihr Haus verkauft, wollte angeblich eine Pionierin werden, nicht mehr malen . . . Und immer hat sie eine schreckliche Angst, irgend jemand würde sie wegen dieses Zeitungsfotos erkennen.«

»Komisch, daß es niemand getan hat. Die Hinterländler lesen ihre Zeitungen ziemlich genau.«

»Ja, das machte sie ganz rasend. Sie hatte Interviews, Fotos und all das abgelehnt – und dann hat dieser Bursche einen Schnappschuß von ihr gemacht, als sie aus ihrem Haus kam. Die Hälfte der Leute, die sie trifft, fragt zunächst einmal: ›Kennen wir uns nicht?‹ Komisch, wie nahe ihr das gegangen ist.«

»Ich glaube, so habe ich selbst auch angefangen. Aber warum macht es ihr soviel aus?«

»Das hat etwas mit der künstlerischen Integrität und all dem zu tun. Ich habe es selbst nie verstanden, aber es hat sie ziemlich erwischt. Das wäre also die ganze Geschichte.«

Das hieß praktisch »Und wie wäre es, wenn Sie jetzt gingen, da Sie alles gehört haben?« Und Munro hatte das sofort begriffen. Er sagte: »Ja, vielen Dank. Ich wußte, daß es eine Erklärung geben mußte. Ich wußte, sie würde nicht ...« Und dann sagte er plötzlich: »Natürlich müssen Sie wissen, daß ich sie heiraten möchte.« Insgeheim freute sich Don. Er fand es gut, wie der Bursche die Geschichte aufnahm. Er mochte seine Geradheit. Alles, was Tessa ihm von diesem Freund erzählt hatte, beeindruckte ihn. Aber trotzdem sagte er: »Schade, daß Sie ihr den Eindruck vermittelt haben, sie sei eine Ausgestoßene.« Er fühlte, daß er Tessa das schuldig war.

Munro antwortete offen und ohne ihm böse zu sein. »Das wollte ich nicht. Nein – das stimmt nicht ganz ... Einen Augenblick lang war ich einfach sprachlos. Es war schon ein Schlag – alles, was ich an der Kunst haßte, und alles, wovon ich glaubte, sie würde es hassen ... Dieses Gesicht, das mich plötzlich ansah.«

»Durch die Fischschuppen! Das hat mir Tessa erzählt«, und er war erleichtert, als Munro lachte.

»Ja, ausgesprochen unromantisch. Trotzdem, vielen Dank für die Erklärung. Ich werde nach Houndsville fahren und versuchen, sie zu finden.«

Der Anstand zwang Don zu protestieren. »Das wäre dumm. Es ist eine große Stadt, und sie kann überall sein. Sie wird heute abend zurückkommen. Bleiben Sie, wenn Sie möchten. Ich muß hinausgehen, aber es gibt genug Bücher hier.«

Munro zögerte. Er verbrachte nicht gerne einen Tag mit Nichtstun, wollte nicht in einem Haus herumsitzen, wo die Hausfrau ausgeflogen war. Dann sagte er: »Sie sind den ganzen Tag draußen? Na ja, vielleicht ...«

Don hatte nicht die Absicht, sein Mittagessen mit Thea zu opfern, und sagte bestimmt: »Ja, vor ungefähr sechs Uhr werde ich nicht zurück sein. Ich will Ihnen etwas sagen, wenn Sie hier sind, können Sie das Feuer am Brennen halten und eine Mahlzeit aufsetzen. Tessa wird müde sein, wenn sie zurückkommt.«

Munros Gesicht hellte sich auf, und er sagte mit einem unsicheren Lächeln: »Tja, um ehrlich zu sein, ich habe einen Fisch mitgebracht. Den Fisch. Jetzt ist er richtig geschuppt. Den könnte ich zubereiten.«

Don lachte mit ihm und kam zu dem Schluß, daß er bestimmt der Richtige für Tessa war. Frohen Herzens ging er weg und ließ seinen Gast zurück, der einen langen Tag vor sich hatte und den das Gefühl der Angst bei dem Gedanken an das Treffen, das am Ende dieses Tages auf ihn wartete, plagte.

Munro beschloß, sich ruhig hinzusetzen und zu lesen, wählte sorgfältig ein Buch aus und las zehn Minuten lang. Dann ging er hinaus, um einen Spaziergang zu machen, wobei er die Koppel mied, aus der ihn der Bulle, der jetzt wieder auf seiner Lieblingsweide graste, boshaft anstarrte. Es war ein ausgesprochen ruhiger Ort. Ganz anders als das Meer konnte der Busch ein Gefühl der Vereinsamung vermitteln. Tessa mußte einen unerschöpflichen Frohsinn besitzen, um das Leben hier zu mögen.

Würde sie sein Leben mögen? Die Antwort war ein uneingeschränktes Ja. Sie war genau der Mensch, dem sein unstetes Leben gefallen würde, mit genügend Geld, aber nicht zuviel, mit häufigem Kulissenwechsel und einer völligen Unabhängigkeit von anderen Menschen, wenn er es wollte. Ja, dieses Leben würde sie mögen, und darauf kam es doch an? Dann verursachten ihm der Ort und das Gefühl, vor einer schweren Krise zu stehen, plötzlich Zweifel. War es klug, daß zwei Leute, die sich schließlich gar nicht so gut kannten, die beide nicht mehr jung waren und deshalb schon in ihren Eigenarten gefestigt waren, an Heirat dachten? Dann mußte er fast lachen. Tessa gefestigt! Das war ein fanatischer Gedanke. Und außerdem, fügte er grimmig hinzu, wer dachte an Heirat? Tessa nicht, wenn er sie richtig verstand. Dann kam die Antwort – er dachte daran, er dachte nicht nur daran, sondern er war fest entschlossen. Seit zehn Jahren war es eigentlich das erste Mal, daß ihm dieser Gedanke in den Sinn gekommen war; er wußte, was ihn erwartete, und sie würde es auch wissen – wenn sie zustimmte. Ohne ungebührliche Einbildung glaubte er, sie würde dazu bereit sein. Er wanderte in den Gemüsegarten und bemerkte mit Belustigung und einer gewissen Zärtlichkeit, Tessas krampfhafte Versuche umzugraben und zu pflanzen. Es war keine Arbeit für eine Frau; er mochte ihren Bruder gerne, aber es gab keinen Zweifel, daß er seine Schwester als zu selbstverständlich hinnahm. Munro griff zum Spaten und begann umzugraben.

Inzwischen raste Tessa wie eine Wilde durch die Straßen von Houndsville, erledigte das sonderbare Durcheinander von Einkäufen, die man ihr aufgetragen hatte. Sie hatte einige Schwierigkeiten gehabt, einen Mechaniker zu finden, der das Traktorteil reparieren konnte und auch dazu bereit war. Aber er hatte zugesagt, es bis fünf Uhr fertigzumachen, was Tessa genügend Zeit ließ, in einen Film zu gehen, den sie schon lang hatte sehen wollen.

Um die Mittagszeit herum hörte der herrliche Frühlingstag auf, und es kam ein Regenguß vom Himmel. Tessa, die natürlich nur auf Sonnenschein eingestellt war, hatte keinen Mantel mit, und so eilte sie in ein Geschäft und kaufte einen Regenschirm, um ihr gutes Kleid zu schützen. Während sie im Kino saß, regnete es stark, und als sie hinaustrat, empfing sie eine durchnäßte Welt und eine Kälte, die schon fast wieder der des Winters glich. Es blieb noch Zeit für eine Tasse Kaffee, bevor sie Dons wertvolles Maschinenteil abholte, und nachdem sie beides hinter sich gebracht hatte, machte sie sich auf die Rückreise und hielt kurz am Postamt, um Thea anzurufen. »Würden Sie bitte Don sagen, daß ich ungefähr um acht Uhr zu Hause sein werde? Sein Traktorteil ist repariert, aber es war nicht vor fünf Uhr fertig.«

Unnötig zu sagen, daß sie sich, auch wenn es vorher fertig gewesen wäre, trotzdem den Film in der Stadt angesehen hätte, einerseits, weil sie ihn sehen wollte, und andererseits, so sagte sie ehrlich zu sich selbst, weil sie das Hinterland zum erstenmal langweilte.

»Ja, ich werde es ihm ausrichten. Er war zum Mittagessen hier.« Thea war taktvoll; Don hatte ihr von Munros Besuch erzählt, ja sogar viel mehr als das, aber es war nicht notwendig, es Tessa zu sagen. Thea hielt etwas von Schocktherapien, und ihr gefiel der Gedanke, daß Tessa die Türe öffnete, um Kenneth Munro am Feuer sitzend zu finden.

»Vielen Dank. Es hat keinen Zweck, ihn anzurufen, denn er ist nie vor der Dunkelheit zurück.«

Thea lächelte, als sie einhängte. Hätte Tessa zu Hause angerufen, wäre sie über die Stimme auf der anderen Seite wohl sehr erstaunt gewesen.

Es wäre jedoch eine Erleichterung für Kenneth gewesen, der sich jetzt schrecklich langweilte und – es hatte keinen Zweck, sich etwas vorzumachen – ausgesprochen nervös war. Er hatte einen großen Teil des Gemüsegartens umgegraben, bevor er sich bewußt wurde, daß Tessa nicht mehr hier sein würde, um die Ergebnisse seiner Mühen zu ernten, das heißt, wenn sich seine Hoffnungen erfüllten. Dann hatte er den Spaten hingeworfen und ging in den Obstgarten, wo er belustigt die alten Apfelbäume betrachtete und sich an die große Vase mit Apfelblüten im Wohnzimmer erinnerte; das sah Tessa ähnlich, sie zu pflücken und den Gedanken an die Äpfel, die sie opferte, einfach abzuschütteln. Oh, er war eigentlich sicher, daß sie die Ernte in keiner Weise bekümmern würde.

Schließlich stocherte er im Ofen herum, goß sich Tee auf und döste in dem einzigen Lehnstuhl, der in der Küche stand. In der letzten Nacht hatte er nur wenig geschlafen, und die Langeweile brachte ihn dazu, daß er einer, wie er sich sagte, ausgesprochen »mittelalterlichen« Gewohnheit nachgab. Nur alternde Menschen sollten am frühen Nachmittag in ihrem Sessel dahindösen.

Es war nach sechs, als Don auftauchte, und inzwischen war Kenneth voll unruhiger Erwartung. Er horchte auf das Geräusch eines Wagens im Hof und beobachtete mit ernster Aufmerksamkeit den Fisch, den er kochte. Er wollte Tessa mit einer heißen, aber nicht verkochten Mahlzeit begrüßen, und so hatte er den großen Schnappbarsch geschickt gefüllt und kochte ihn vorsichtig im Ofen.

Diese Mühe hätte er sich sparen können, denn kurz nach Dons Rückkehr klingelte das Telefon, und Tessas Mitteilung wurde durchgegeben. Thea sagte: »Vor acht wird sie wohl kaum kommen, aber auch nicht viel später. Ein Jammer mit dem Regen. Aber eure Straße wird noch nicht so sehr schlecht sein.«

Munro war sehr verärgert, als er beobachtete, wie Don seine sorgfältig vorbereitete Mahlzeit genoß. Acht Uhr. Bevor Tessa kam, würde alles völlig verkocht sein. Er teilte eine allzu reichliche Portion ab und setzte sie zum Warmhalten auf einen Kochtopf, dann fand er sich damit ab, Don zuzusehen, wie er fast den ganzen Rest aufaß.

Als er fertig war, streckte er sich behaglich aus und sagte: »Sie sind ein guter Koch. Tessa haßt die Kocherei, aber sie gibt ihr Bestes«, was Munro unerträglich gönnerhaft fand. Warum sollte eine Künstlerin für einen Bruder kochen? Ehemänner waren natürlich etwas anderes.

»Es lohnt sich nicht, das Feuer im Eßzimmer anzumachen«, sagte Don. »Sie wird nach Hause kommen, essen und ins Bett gehen.« Aber das war nicht Kenneths Programm für den Abend gewesen; er hatte sich vorgestellt, wie sie beide gemütlich am Feuer saßen und ihr Leben planten. Don würde natürlich früh zu Bett gehen.

Dieser Teil des Programms stimmte. Um halb neun sah Don von seiner Zeitung auf, gähnte und sagte: »Tessa hat sich verspätet. Daran ist wahrscheinlich der Regen schuld. Ich werde nicht aufbleiben, und Sie brauchen es auch nicht. Ich mache Ihr Bett.«

»Vielen Dank, das ist schon gemacht. Ich werde trotzdem aufbleiben, für den Fall, daß sie Schwierigkeiten gehabt hat.«

»Wird sie nicht gehabt haben. Machen Sie sich keine Sorgen wegen ihr. Das tue ich nie. Sie haßt es, wenn sich jemand unnötig aufregt.«

Das ärgert Munro. Schließlich hatte Tessa diese überstürzte Fahrt in die Stadt nur wegen des verdammten Traktors ihres

Bruders gemacht. Für eine Frau allein war es an einem Tag eine lange Fahrt, und die Nacht war dunkel und der Regen stark. Dieser junge Mann war einfach zu gleichgültig. Irgendwo gab es eine Grenze. Es handelte sich nicht darum, sich unnötig aufzuregen – ein Wort, das Munro sehr übel nahm.

Er sagte steif: »Ich bin nicht müde. Es macht mir nichts aus, etwas länger aufzubleiben«, und er dachte: »Je früher ich sie hier herausbekomme, um so besser . . .« Sie herausbekommen? Er begann, zu zuversichtlich zu werden.

Don gähnte noch einmal und sagte: »Na ja, es lohnt sich jedenfalls nicht, daß wir beide aufbleiben, es war ein langer Tag, und ich muß morgen früh aufstehen. Bis morgen früh. Sind Sie sicher, daß Ihr Bett in Ordnung ist?«

»Völlig sicher. Gute Nacht.«

Um neun Uhr begann er unruhig zu werden. Sie müßte zu Hause sein, selbst wenn ihr Auto auf ihrem eigenen Weg steckengeblieben war. Um zehn stand er auf und ging zu seinem Wagen . . .

Den ersten Teil der Reise fuhr Tessa schnell. Es regnete stetig, und ab und zu kam ein Platzregen, sie hoffte nur, daß sie den schlammigen Weg zum Haus schaffen würde. Als sie von der asphaltierten Straße abbog und auf die geschotterte kam, ging es langsamer. Es regnete stark, und es war jetzt völlig dunkel. Hier war der Guß wohl heftiger gewesen, denn das Wasser rann über die Straße. Die Haarnadelkurven drosselten ihr Tempo völlig, aber jetzt kam eine etwas geradere, ansteigende Strecke, und sie beschleunigte.

Das war ein Fehler, denn hinter der weiten Kurve war die Böschung eingebrochen, und eine schwere Lehmmasse lag über der Straße. Ihr Auto schleuderte heftig, hing einen Augenblick lang am äußersten Rand des tiefen Abhangs, überlegte es sich dann anders und fuhr in die eingefallene Böschung. Tessa sagte laut: »Verflucht«, und stieg aus, wobei sie an ihr gutes Kleid und an ihren unbedeckten Kopf dachte. Es regnete gleichmäßig, und ein Blick genügte, um zu sehen, daß der Kotflügel schwer beschädigt war. Er befand sich so nahe an der Böschung, daß sie Schwierigkeiten hatte, sich dazwischen zu quetschen, aber alle ihre Bemühungen, den Kotflügel wieder gerade zu biegen, waren umsonst. Er würde das Rad blockieren und jede Weiterfahrt sehr erschweren. Sie begann, sich hinter den Wagen zu kämpfen, als dieser zu ihrem Schrecken zurückrollte. Sie war sehr hastig herausgesprungen und hatte offensichtlich die Bremse nicht ganz angezogen. Sie stürzte auf die andere Seite, um jeden Preis entschlossen hineinzuspringen und die Handbremse anzuziehen, als sie in dem nassen Lehm ausrutschte und der Länge nach hinfiel. Sie fühlte, wie das Auto ihr Bein berührte und dachte: Es wird mich überfahren, aber als sie sich gerade mit einem einsamen Tod abgefunden hatte, hielt der Wagen wie durch ein Wunder. Er hatte ihr Bein berührt, aber nicht mehr. Vorsichtig tastete sie ihren Körper mit der Hand ab und entdeckte, daß sie unversehrt war – aber festhing. Was war geschehen? Warum konnte sie nicht aufstehen? Im nächsten Augenblick stellte sie mit großer Erleichterung fest, daß das Rad über ihren Rock gefahren war, aber vor ihrem Bein haltgemacht hatte. Es war ganz bestimmt ein Wunder, aber, dachte Tessa, es hätte vollkommener sein können. Sie war unverletzt, aber gefangen, und ihr guter Rock mußte ganz bestimmt geopfert werden, wenn sie sich aus ihm befreien wollte.

Nach einigen anstrengenden Minuten gelang ihr das, denn der Rock war nicht nur kurz, sondern auch eng, und der Reißverschluß wollte nicht aufgehen. Das sieht einem Reißverschluß ähnlich, dachte Tessa verärgert. Sie gehen immer auf, wenn man es nicht möchte, und jetzt sitzt er fest wie nie.

Schließlich kam sie frei und stand auf, für die Regeln des Anstands und ganz bestimmt für eine nasse Regennacht zu leicht bekleidet. Vergebens bedauerte sie, daß sie sich am Morgen in der Eile nicht die Mühe gemacht hatte, einen Unterrock anzuziehen; verzweifelt kämpfte sie um ihren Rock, denn wenn sie die Straße hinaufwandern mußte, um ein Haus zu erreichen, würde sie ganz bestimmt einen Rock brauchen. Aber das Rad stand fest darauf, und Tessa hatte Angst, zu stark zu ziehen, weil sie befürchtete, den Wagen wieder ins Rollen zu bringen. Wenn ihr Rock ihm Halt gab, dann würde sie ihn bedenkenlos opfern, denn die Böschung, auf die er langsam, aber unerbittlich zugerollt war, fiel ziemlich steil ab. Zögernd setzte sie sich ins Auto, zog die Handbremse fest an und ging dann um den Wagen herum, um zu sehen, welche glückliche Fügung die Fahrt des Wagens aufgehalten hatte. Sie entdeckte einen großen Stein, der von der Böschung heruntergerollt war und das Rad blokkierte, und nun seufzte sie erleichtert auf. Zusammen mit der Bremse würde das den Wagen sichern, denn sie begann sich darüber klarzuwerden, daß sie wahrscheinlich die Nacht darin verbringen mußte.

Dankbar für den Unterschlupf, kletterte sie kalt, naß und verängstigt ins Auto zurück. Wo war sie genau? Sie kannte diese Straße nicht gut, denn sie war noch immer einige Meilen von der Buschstraße entfernt, und soweit sie sich erinnerte, auch von der nächsten Farm. Selbst wenn sich eine in der Nähe befinden sollte, konnte sie an einer unbekannten Tür nicht so sonderbar gekleidet auftauchen.

Sie suchte im Kofferraum und fand eine Decke. Es gab keine andere Möglichkeit, als sich mit einem fröstelnden Gefühl auf die Nacht einzurichten. Bestand irgendeine Hoffnung, daß ein Wagen die Straße hinauf- oder hinunterfuhr? Als Warnzeichen ließ sie ihr Licht an und beschloß, das Problem des Anstands dann zu lösen, wenn das Unwahrscheinliche geschehen sollte.

Eine Stunde später kam sie zu dem Schluß, daß es nicht nur unwahrscheinlich, sondern ein Wunschgedanke war, sich vorzustellen, daß irgendein Auto sich in einer solchen Nacht hinauswagte, es sei denn, es handelte sich um einen dringenden Notfall. Vielleicht jemand, der ins Krankenhaus gefahren wird, oder jemand mit einem gestohlenen Auto, der vor der Polizei flieht.

Die letzte Möglichkeit fand sie besser als die erste. Ein Krankenhausfall bedeutete große Eile; sie würden nicht warten, um eine einsame, sonderbar gekleidete Frau zu retten; ein flüchtiger Häftling könnte vielleicht gerade so lange anhalten, daß sie Zeit hatte, ins Auto zu springen und ihn irgendwohin zu begleiten. Als Anreiz konnte sie ihm sogar ein Bett für die Nacht anbieten, dachte Tessa unbekümmert.

Aber in dieser schrecklich verlassenen Gegend schien niemand schwer krank zu sein, und niemand flüchtete vor der Polizei. Die Straße war wie ausgestorben, und als Tessas Uhr zehn anzeigte, gab sie die Hoffnung auf, aß den Riegel Schokolade, den sie Don hatte mitbringen wollen, und beschloß zu schlafen. Was am nächsten Morgen passieren würde, kümmerte sie nicht; sie dachte auch nicht im entferntesten daran, daß ihre Aufmachung bei Tageslicht noch mehr auffallen würde; wenn Rettung kam, war es noch immer früh genug, sich darüber Gedanken zu machen, und eine Decke war eine große Hilfe. Sie hätte nur gerne zwei davon gehabt, denn jetzt war es sehr kalt.

Ihre Gedanken, die an diesem ereignisreichen Tag streng geordnet gewesen waren, kehrten jetzt unvermeidlich zu Kenneth Munro zurück, und gegen ihren Willen erlebte sie noch einmal den gräßlichen Augenblick, als sie gesehen hatte, wie er ihr Gesicht durch die Fischschuppen anstarrte. Seinen Gesichtsausdruck würde sie nie vergessen. Es gab keinen Zweifel an seinen Gefühlen – aber er hätte ihr die Gelegenheit geben können, alles zu erklären. Na ja, wahrscheinlich hatte er es nicht für wichtig genug gehalten, und das zeigte ihr, wie albern sie gewesen war, sich vorzustellen ... Aber was hatte sie sich vorgestellt? Die Nüchternheit, durch Kälte, Hunger und Nässe gefördert, brachte sie dazu, laut auszurufen: »Na ja, in deinem Alter hättest du das besser wissen sollen ... Und vielleicht fühlst du dich sonst nicht alt, aber heute abend ja – alt und elend, und wahrscheinlich säst du den Samen für ein rheumatisches Fieber, indem du die ganze Nacht hierbleibst.«

Wie immer löste sich das Selbstmitleid in Belustigung auf. Schließlich, was war schon eine unbequeme Nacht? Die Pionierinnen hielten Schlimmeres aus; sie hatte von ihren Entbehrungen gelesen – lecke Hütten, Hochwasser, Hunger und schreckliche Krankheiten. Aber plötzlich erinnerte sie sich unruhig an Munros Worte: »Warum hören Sie nicht auf, eine Pionierin zu spielen?« Er hatte recht gehabt; entgegen all ihrer Behauptungen hatte sie eine Rolle gespielt – und jetzt merkte sie, daß diese Rolle zu Ende war. Bald würde sie hier nicht mehr gebraucht werden; Don würde heiraten, und Thea würde viel besser für ihn sorgen, als sie es je getan hatte. Sie würde zurückkehren –

nicht in dieselbe Stadt –, aber zu irgendeiner Art von Zivilisation. Sie wollte das Risiko nicht mehr eingehen, eine lange, lange Nacht in einem kleinen Auto auf einer verlassenen Straße im strömenden Regen sitzen zu müssen. An diesem Punkt merkte sie plötzlich, wie müde sie war. Sie rollte sich etwas gemütlicher zusammen, dankbar, daß ihre Beine kurz waren, und kam zu dem Schluß, daß Don sie am nächsten Morgen sicher retten würde. Bis dahin würde sie schlafen. Eine halbe Stunde später hörte sie das Geräusch eines Autos und fuhr hoch. Ja, irgend etwas kam die Straße herunter; hatte Don sich vielleicht ausnahmsweise einmal Sorgen um sie gemacht? Sie wickelte die Decke etwas fester um sich und hoffte, daß es Don war und kein Fremder. Aber Gott sei Dank war es jemand. Der Wagen hielt nicht weit entfernt von dem ihren, und eine Gestalt stieg aus. Sie konnte nicht sehen, wer es war, aber wäre es Don gewesen, so hätte er doch sicher gerufen?

Einen Moment später öffnete sich die Tür des Wagens, und eine Stimme sagte ruhig: »Kennen wir uns nicht?«